LES QUATRE SAISONS
DE LA
BONNE HUMEUR

Du même auteur

Tout déprimé est un bien portant qui s'ignore, Lattès, 2016.
Les Cinq Clés du comportement. Construire soi-même son optimisme, Le Livre de poche, 2015. Édition originale : *Les Secrets de nos comportements*, Plon, 2011.
Réveillez vos désirs. Vos envies et vos rêves à votre portée, Le Livre de poche, 2015. Édition originale : Plon, 2014.
Changer en mieux. Les Dix Chemins du changement positif, Le Livre de poche, 2013. Édition originale : Plon, 2011.
Du plaisir à la dépendance. Nouvelles addictions, nouvelles thérapies, Points Seuil, 2009. Édition originale : La Martinière, 2007.

www.editions-jclattes.fr

Pr Michel Lejoyeux

LES QUATRE SAISONS DE LA BONNE HUMEUR

JC Lattès

Couverture : Didier Thimonier

ISBN : 978-2-7096-5927-7

« La meilleure façon de parler de ce qu'on aime est d'en
parler légèrement. »

Albert Camus, *L'Été*.

Santé, longévité, réussite amoureuse et familiale. Et si tout cela dépendait de notre bonne humeur ? Même le niveau du salaire suit celui de l'humeur. Alors autant prendre un peu de temps pour apprendre à garder son moral au top. Quand on s'entraîne à sourire à la vie, la vie nous sourit. C'est simple mais vrai. On croit à tort que le fait d'avoir une humeur gaie ou triste est une question de nature, de génétique ou de chance. Mais aucune tristesse n'est une fatalité. Notre moral vient beaucoup de nos bonnes ou mauvaises habitudes de vie et de notre mode de pensée. Je m'en aperçois chaque jour dans ma vie personnelle et dans ma pratique de la médecine. En dehors des maladies psychiatriques caractérisées qui se soignent, et des grands chagrins que l'on subit, chacun de nous peut augmenter tout seul ses ressources de bonne humeur. On peut s'aider soi-même avec des expériences simples qui vont maintenir le cerveau en forme et cultiver les bonnes émotions.

Après la sortie de *Tout déprimé est un bien portant qui s'ignore*, j'ai reçu des messages d'hommes et de femmes qui avaient mis en pratique ma première « ordonnance » de bonne humeur. Ils avaient appliqué les exercices du livre qui les ont rendus plus tranquilles et plus heureux. À la fin de chaque consultation et de chaque conférence que j'ai faite pour présenter mon livre, on m'a demandé d'autres conseils, d'autres idées, d'autres explications. Entre-temps, la recherche sur les programmes antidéprime devient une vraie science qui produit des résultats étonnants. De nouveaux protocoles, datant de moins d'un an, donnent des pistes inédites pour agir sur son moral. Pour les appliquer, ni médicament ni aide extérieure ne sont nécessaires. Il y a vraiment une actualité de la bonne humeur que l'on ne connaît pas assez. C'est cette information médicale que vous allez trouver ici. Elle est souvent surprenante ou amusante, et je l'espère utile.

Notre compréhension de l'esprit et du cerveau est en train de changer. Pour aller bien, on ne doit plus rester chez soi à réfléchir sur son sort, ni se prendre la tête à deux mains en faisant de grands bilans. Il y a des manières plus actives de muscler ses émotions et de mobiliser les hormones de la bonne humeur. Vous pouvez, par exemple, manger des plats naturellement antidéprime, bouger intelligemment, muscler votre cerveau, visiter méthodiquement les musées pour recueillir des émotions positives, ou écouter une sélection de musiques stimulantes. De la même façon que l'on entretient son cœur ou son souffle, il est possible, en suivant quelques principes simples, d'améliorer son moral sans effort et en s'amusant.

Les trois secrets de l'humeur

Le secret de médecine et de vie le mieux gardé est que *nous pouvons agir sur nos émotions*. Nous avons à notre portée plus de moyens que nous le croyons. Malgré une actualité qui nous montre chaque jour toutes les horreurs du monde et nous donne des raisons de nous inquiéter, nous pouvons activer notre « machine cérébrale » à fabriquer des antidépresseurs naturels. Aussi surprenant que cela paraisse, en changeant votre mode de vie et de pensée, vous changez aussi les hormones de votre cerveau. Il n'est pas si difficile de faire baisser son *adrénaline*, l'hormone du stress et de la mauvaise humeur, et d'augmenter en même temps la *sérotonine*, l'hormone de la bonne humeur.

Voici donc les trois grands secrets sur l'humeur :

L'humeur n'est pas seulement une question de psychologie. La bonne humeur agit sur tous les organes et elle ne dépend pas que de l'esprit. Elle protège aussi bien de la dépression que de la démence, des maladies du cœur que des douleurs, des infections et des maladies inflammatoires. L'humeur est meilleure quand on soigne le corps. Cela passe de l'entretien de ses dents à une alimentation adaptée, sans oublier des mouvements qui relancent les antidépresseurs naturels.

La bonne humeur est à la portée de tous. La mauvaise humeur n'est pas un tempérament contre lequel on ne peut rien. Il n'y a pas d'enfance, de terrain familial ou de situations de vie qui condamnent à être triste ou déprimé à perpétuité. Chacun peut mettre en œuvre un petit changement dans sa vie quotidienne pour avoir un meilleur moral ou pour garder son enthousiasme.

Les habitudes qui rendent heureux viennent de notre compréhension nouvelle du cerveau.

Les expériences révolutionnaires sur le cerveau apportent des explications médicales aux conseils de bon sens. Elles démontrent que la musique, les vitamines, l'expression du visage et même la couleur des assiettes agissent sur les neurones. Elles renseignent sur la manière dont les molécules de la bonne humeur réagissent dès le moindre changement de comportement, de sommeil ou d'alimentation. Dans les pages qui suivent, je me propose de vous présenter les expériences les plus facilement applicables. À la fin du livre, vous trouverez toutes les références originales de ces recherches avec le nom des auteurs et la publication qui les présente en détail.

À quoi sert la bonne humeur ?

La bonne humeur que je vous suggère de défendre, ou de retrouver, est un état de santé et d'harmonie « global » du corps comme de l'esprit. Le psychiatre français Jean Delay décrivait en substance la bonne humeur comme le fait de se sentir bien sans trop de regrets du passé ni trop de peur de l'avenir. La bonne humeur donne à chaque moment de la vie une tonalité agréable.

Si l'on compare les hommes et les femmes de mauvaise et de bonne humeur, on s'aperçoit que la joie de vivre est indispensable au bon fonctionnement du corps et de l'esprit.

Elle est précieuse pour :

La santé du corps : la bonne humeur permet de résister aux infections et assouplit les vaisseaux. Elle augmente l'espérance de vie, fait baisser le taux de sucre dans le sang et le risque de diabète, et diminue la tension artérielle. Même si l'on tombe malade, la bonne humeur augmente les chances de guérison.

L'image de soi : quand on est de bonne humeur, on s'aime à peu près, ou tout au moins on s'accepte et l'on cohabite sans trop de mal avec soi-même. On cesse de se faire des reproches en permanence et de passer en revue ce que l'on a raté ou manqué.

L'image que les autres ont de nous : la famille, les amis, les collègues, les simples connaissances, tous préfèrent la compagnie d'une personne qui communique et s'amuse d'un rien. Grâce à sa bonne humeur, on a davantage de relations et l'on reçoit plus de sourires. La vie de famille et de couple est plus simple et plus agréable. On parle plus facilement à quelqu'un de bonne humeur sans avoir peur de le fâcher ou de le mettre en colère. Les mauvaises blagues des bons vivants agacent de temps en temps. Pourtant, nous préférons ceux qui nous font rire à ceux qui nous expliquent jusqu'au milieu de la nuit ce qui les rend malheureux.

L'impression d'avoir réussi sa vie : il n'y a guère de différence entre une vie réussie et une vie ratée en dehors de la manière, optimiste ou pessimiste, dont on la regarde. Un homme ou une femme de bonne humeur se trouvera toujours plus riche et plus comblé par le destin qu'un déprimé même couvert d'argent, de conquêtes amoureuses et d'honneurs. Je m'en aperçois en consultation. Quand quelqu'un sort de sa déprime, il ne me raconte plus la même vie qu'avant. Il change d'avis sur ce qui lui paraissait être ses plus grandes fautes. Dès qu'il reprend du poil de la bête, il voit les coups du sort comme des étapes qui l'ont finalement fait progresser. Mieux encore, il retrouve le souvenir de réussites qu'il avait oubliées quand il broyait du noir.

Le cycle désir, réalisation des désirs, plaisir, envie de continuer : la bonne humeur est la base du désir. C'est elle qui donne envie de se lever le matin. Envie de tomber amoureux, de le rester, de le redevenir, de flirter, de parler à un voisin ou une voisine inconnue, de danser, de faire l'amour. De travailler, de s'amuser, d'aller au cinéma voir des films tristes ou gais, de lire, d'entretenir sa maison, son corps et sa mémoire, d'avoir des projets, d'y croire et de les mener à bout. En plus de l'envie, le moral donne du plaisir quand on se met en mouvement. C'est une logique gagnant-gagnant. On a des idées pour soi et ses proches, on est prêt à les réaliser. On fonce et nos actions sont agréables.

La créativité : tous les créateurs ne sont pas malheureux. C'est un mythe qu'entretiennent les défenseurs de la déprime, souvent eux-mêmes déprimés. Chacun de nous est plus original et plus productif quand il est de bonne humeur. Les écrivains, les peintres et les musiciens qui ont traversé des moments de déprime le confirment. Pendant leur mélancolie ils réfléchissent mais ils ne se mettent vraiment au travail qu'au moment où le moral revient. Il faut être de bonne humeur pour que les idées nouvelles jaillissent et que vous ayez l'envie ou le courage de les exprimer, de les noter ou de les dessiner. Il faut une sacrée dose d'insouciance et d'optimisme pour se lancer dans une activité nouvelle. Et c'est pourtant tellement agréable.

L'énergie : la principale source d'énergie est la bonne humeur. Rien n'est aussi fatigant que la déprime et la meilleure manière de se stimuler est de retrouver l'enthousiasme. Quand on se sent de bonne humeur, on marche, on parle et on pense plus vite. Chaque geste coûte moins d'effort aux optimistes qu'aux pessimistes. Celles et ceux qui veulent entretenir leur forme physique ont raison d'essayer de se muscler. Ils ne doivent pas oublier leur moral pour faire fabriquer à leurs neurones les molécules de l'énergie.

Car un cerveau de bonne humeur produit :

— de la *dopamine* qui fait bouger, changer et innover,

— de la *sérotonine* qui rend heureux et diminue l'angoisse,

— des morphines cérébrales naturelles ou *endorphines* pour le plaisir.

La réussite : on réussit plus souvent dans son travail ou sa vie personnelle quand on anticipe une issue positive. Ceux qui attendent le meilleur de leurs vacances ou de leur famille mettent le maximum de chance de leur côté. Certes, ils ne sont pas complètement protégés mais ils se programment pour ne pas passer à côté des bons moments et des bonnes occasions. Cette capacité à anticiper le meilleur dépend de la bonne humeur. Elle est une prophétie autoréalisatrice. L'espoir soulève les montagnes, dit la sagesse populaire. L'espoir fait aussi gagner, nous confirme la psychologie moderne.

L'intérêt pour l'instant présent : l'angoisse a peur du futur et la déprime se reproche le passé. Pour se concentrer vraiment sur l'instant présent, il faut être d'assez bonne humeur. On sourit pour ne pas se sentir coupable de son histoire ni menacé dans son avenir.

16

Pourquoi je préfère la bonne humeur et la santé au bonheur

Comme vous certainement, je suis impressionné par les livres et les penseurs proposant le bonheur absolu et la sérénité parfaite. J'aimerais bien atteindre ces sommets de l'accomplissement personnel. Je n'y arrive que de temps à autre et, franchement, ce que je recherche pour moi-même, mes proches et ceux qui me consultent, c'est plutôt la bonne santé. « Le bonheur, disait le poète Paul Valéry, a les yeux fermés. » La bonne humeur a les yeux grands ouverts sur les progrès de la médecine et de la science du cerveau. Si le bonheur est un état de plénitude et de satisfaction de tous les désirs, moi je vous propose un objectif plus modeste et à mon avis plus réaliste : un style de vie qui protège la santé de l'esprit et du cerveau.

La santé est définie en médecine comme la vie dans le silence des organes, c'est-à-dire sans trop de douleurs ni de maladies. La bonne humeur est un état de santé de l'esprit sans coup de déprime, grandes angoisses ni colères inutiles. Ce n'est pas le nirvana ou la tranquillité absolue. On est loin d'un idéal de bonheur permanent. On a le droit, même quand on est de bonne humeur, d'être accablé par un événement désagréable, de pleurer, d'avoir peur ou encore de s'ennuyer ou de se fâcher. Mais on a en soi des capacités de résistance et de résilience qui finiront par prendre le dessus.

Quelques différences entre bonheur et bonne humeur

Le bonheur appartient à la psychologie mais aussi à la spiritualité, à l'art et à la poésie. Ceux qui en parlent le mieux sont les grands mystiques et les philosophes qui nous expliquent le bonheur comme la réalisation de nos désirs et la satisfaction de nos projets connus ou secrets. Dans le bonheur, il y a un mélange d'extase, de réussite et de plaisir d'une vie qui a du sens. La bonne humeur que je vous suggère de cultiver est, je crois, la première condition du bonheur. Avant d'être parfaitement heureux, il est utile d'essayer de ne pas être trop malheureux et de rester en bonne santé. Celui qui veut atteindre le bonheur doit d'abord trouver une manière d'écarter l'angoisse, la déprime et même la dépression. Tous les hommes de bonne humeur ne sont pas complètement heureux. Mais tous les hommes heureux sont de bonne humeur.

Peut-on mesurer la bonne humeur ?

Il n'est pas plus facile de mesurer la bonne humeur que la bonne santé du cœur ou des autres organes. La médecine déborde d'idées et d'évaluations pour savoir si vous êtes malade du cerveau, du poumon ou de l'esprit. Elle sait parfaitement dépister et jauger la gravité de l'anxiété, du stress, de la dépression. Elle peut vous fournir un score de votre pessimisme, de votre méfiance et de la perte de l'estime de vous-même. La médecine ou la psychologie classique auront plus de mal à vous expliquer jusqu'à quel point vous ne souffrez pas et quel est votre degré de normalité. Il n'existe pas d'échelle sérieuse de non-regret, de non-tristesse et de plaisir à vivre l'instant présent.

La moins mauvaise des échelles de bonne humeur s'appelle l'échelle HAD (Hospital Anxiety and Depression scale). Elle teste à la fois l'anxiété, la déprime et la bonne humeur. L'échelle HAD pose une première question : Sans trop réfléchir, est-ce que vous vous sentez globalement de bonne ou de mauvaise humeur ?

Votre réponse vous donne une première indication. Les treize questions qui suivent précisent votre degré de bonne humeur. L'idéal étant que vous répondiez oui à au moins six de ces questions. Si ce n'est pas le cas, pas d'inquiétude. Les expériences qui suivent vont vous donner l'occasion de faire gonfler votre score de bonne humeur.

Je ne me sens jamais ou seulement de temps en temps tendu ou énervé.

Je prends autant plaisir aux choses qu'autrefois.

Je n'ai pas de sensation de peur comme si quelque chose d'horrible allait m'arriver ou si cela arrive, cela ne m'inquiète pas.

Je ris facilement et je vois le bon côté des choses autant que par le passé.

Je me fais du souci seulement de temps en temps.

Je peux en général rester tranquillement assis à ne rien faire et me sentir décontracté.

J'ai peu l'impression de fonctionner au ralenti.

Je prête autant d'attention que par le passé à mon apparence physique.

Je n'ai pas trop la bougeotte et j'arrive à tenir en place.

Je me réjouis d'avance à l'idée de faire certaines choses.

Je n'ai jamais ou pas souvent des sensations soudaines de panique.

Je peux souvent prendre du plaisir à lire un bon livre ou à suivre une bonne émission de radio ou de télévision.

À chaque saison, il est possible d'entretenir sa bonne humeur

Selon les saisons, les expériences de bonne humeur ne sont pas les mêmes. On ne s'habille pas et l'on ne s'occupe pas de sa santé de la même manière en été et en hiver. Votre esprit et votre cerveau ressemblent à un jardin. Pour produire des fruits, des légumes ou de bonnes émotions, il faut suivre certaines règles de bon sens, respecter le rythme des saisons, alterner réflexions, projets, grands travaux et repos. Il y a des saisons où l'on anticipe ce que l'on va faire, d'autres où l'on sème et d'autres où l'on récolte les fruits de ses efforts. Tel un jardin bien cultivé, votre esprit n'a nul besoin d'engrais artificiels. Il regorge de ressources naturelles qui n'ont pas fini de vous surprendre.

À chaque saison, vous pouvez pratiquer des exercices de santé adaptés. Pourquoi ne pas essayer ?

Les *aliments de la bonne humeur*. Ce sont des vitamines, des fruits ou des légumes qui font fabriquer à votre cerveau les molécules dont il a besoin pour vous garder en forme.

Les *pratiques physiques et artistiques de la bonne humeur*. Elles font bouger votre corps et agissent sur vos neurones.

Les *manières de penser, de communiquer et de comprendre le monde* qui rechargent en émotions positives.

Cette année, au moment des vœux du nouvel an, vous n'allez pas seulement souhaiter le meilleur pour vos proches, vos amis, votre famille et vous-même. Vous allez apprendre comment l'obtenir. Vous pouvez choisir de mettre toutes les chances de votre côté pour réaliser vos vœux et vos projets, des plus fous aux plus quotidiens. Il existe un cercle vertueux de la bonne santé, de l'optimisme et des stimulants naturels. Ce cercle vertueux est, j'en suis convaincu, le meilleur antidote à la déprime collective ou personnelle.

UN HIVER
DE BONNE HUMEUR

« Au milieu de l'hiver, j'ai découvert en moi un inusable été. »

Albert Camus

« Le temps et mon humeur ont peu de liaison. J'ai mes brouillards et mon beau temps au-dedans de moi. »

Blaise Pascal

L'hiver est une bonne saison pour commencer à travailler sa bonne humeur et sa santé. C'est le temps des vœux, des projets et des résolutions. Cependant, il nous faut lutter contre le climat qui incite à rester chez soi et à s'imposer des examens de conscience pas toujours très gais. L'exaltation n'est pas aussi naturelle qu'au printemps. Quand le philosophe français Alain a écrit « le pessimisme est de nature et l'optimisme de combat », je suis sûr qu'il devait penser à l'hiver. En cette saison, aux jours courts et brumeux, la déprime est une pente naturelle et la bonne humeur un combat, mais un combat facile à gagner.

Commençons par tordre le cou à une idée reçue. En hiver, personne n'est obligé d'être triste, fatigué ou de mauvaise humeur. La déprime hivernale n'est pas une fatalité. Seuls les hommes ou femmes qui souffrent en hiver dans leur esprit et leur corps sont atteints de vraie dépression saisonnière. Mais cette maladie est rare. On est passé trop vite de quelques cas de dépression saisonnière à l'idée que tout le monde est triste en hiver. Aucun de nous n'est condamné à la morosité parce qu'il pleut, neige ou fait gris. Les études les plus sérieuses sont formelles. On mesure bien des épidémies de grippe en hiver, des pics de bronchite mais pas de vague de dépression. Les consultations des psychologues et psychiatres à l'hôpital ou en privé ne sont pas prises d'assaut quand les jours raccourcissent. Je ne vois pas non plus de files d'attente se former devant mon bureau en novembre ! On confond trop souvent le petit désagrément du froid, des doigts engourdis et des jours plus courts avec une maladie dépressive. Sauf si vous êtes atteints d'un trouble de l'humeur saisonnier reconnu et traité par un médecin, vous n'aurez pas besoin d'antidépresseur pour passer l'hiver ni de fortifiants ou de « défatigants ». Seulement de quelques exercices, adaptés à la saison, que je vous conseille ici.

À chacune des saisons, mon « ordonnance » de bonne humeur commence par la liste des aliments les plus utiles pour combattre le vague à l'âme et les émotions tristes. Les dernières expériences sur l'alimentation démontrent que l'on passe mieux l'hiver avec des légumes, fruits et poissons bien choisis. Enfin, certaines manières de vivre et modes de pensée vous permettront de passer un hiver tout chaud et dans la bonne humeur.

UN CORPS EN PLEINE FORME

Tirer les leçons de l'hiver irlandais

La météo hivernale influe-t-elle vraiment sur nos humeurs ? Jusqu'à récemment, il était difficile de répondre à cette question. Nous n'avions à notre disposition que quelques histoires inquiétantes mais peu scientifiques. Une poignée d'explorateurs en route vers le pôle Nord sont bien devenus fous par manque de soleil et ont fini par se massacrer entre eux. Mais, au-delà de la maladie des pôles et des nuits sans fin, il n'est pas certain que la météo agisse tant que cela sur nos émotions.

C'est de l'Irlande que nous vient l'analyse la plus sérieuse de l'effet qu'a l'hiver sur la santé. Quand vous pensez aux hivers irlandais, vous voyez des plages battues par le vent et les embruns, une mer déchaînée et des hommes et femmes enfermés chez eux. Quand un géographe et un psychologue ont décidé de travailler ensemble sur le sujet, ils ont pu mesurer l'action de ce climat extrême sur la santé et la bonne humeur. En plein brouillard de décembre, ils ont eu l'étrange idée de se demander si les intempéries dans les villages irlandais atteignaient autant qu'on le croit la bonne humeur des habitants. Est-ce que les orages glacés qui leur dégringolent sur la tête attaquent leur moral ? Le psychologue et le géographe ont alors poussé leur

27

raisonnement en scientifiques – je les imagine écrivant leur protocole devant une pinte de Guinness ou un whisky… Ils ont divisé l'Irlande en 3 155 sous-régions. Pour chaque village d'Irlande, ils ont mesuré les températures moyennes et les températures extrêmes, le vent et les volumes de pluie. Dans le même temps, ils ont calculé le niveau de bonne et de mauvaise humeur des habitants. Une enquête qui a duré cinq ans et dont les résultats viennent de paraître.

Faites la différence entre émotion et maladie en mettant le nez à la fenêtre

Vous mettez le nez au carreau et vous trouvez le temps impossible. Vous n'avez qu'une envie : vous recoucher et attendre les beaux jours. Cette pensée est strictement normale. Elle ne signifie pas que vous êtes fatigué ni déprimé. Vous avez éprouvé une émotion désagréable avec la morsure du froid. C'est plutôt rassurant : vous n'êtes pas incapable de lire vos émotions – comme les malades dits alexithymiques. Le nom lui-même explique bien ce qu'est l'alexithymie. Les alexithymiques ne savent ou ne peuvent pas (**a** privatif pour dire je ne peux pas) lire (**lexi**) les émotions (**thymie**). Ceux qui savent reconnaître leurs thymies ou émotions, même désagréables, ont un cœur et des vaisseaux en meilleure santé que ceux qui n'ont pas de psychologie. Aller mal de temps en temps est un signe de bonne santé !

Les conclusions ne sont finalement pas très étonnantes. Lorsqu'une ville d'Irlande ne voit pas le soleil pendant plusieurs jours de suite, ses habitants sont bien plus de mauvaise humeur que ceux des villages tempérés. Le score moyen de bonne humeur des Irlandais augmente d'un point en été. Il est stable au printemps. Il diminue d'un point en automne et de deux points en hiver.

C'est lorsqu'il pleut et qu'il fait froid en même temps que la météo est la plus déprimante. Quand il pleut plus de dix millimètres d'eau en quelques jours et que les températures sont au-dessous de zéro, le moral se trouve atteint... Le dernier facteur pesant sur l'humeur est la quantité totale de soleil dans l'année. Un été très ensoleillé a le pouvoir de compenser la grisaille de l'hiver. À condition que l'on soit suffisamment sorti l'été pour en profiter.

Il y a plusieurs manières d'appliquer ces résultats à notre quotidien. Nos amis irlandais confirment que, si la pluie et le froid rendent moroses, l'hiver ne crée pas de dépression « maladie ». Comme tous les autres chercheurs qui se sont penchés sur la question, ils n'ont pas constaté d'épidémie de stress ou d'angoisse durant l'hiver. Ne craignez ni le froid ni la pluie pour votre moral. Enfilez chapeau et manteau, et sortez quand même ! La météo maussade est moins toxique que le fait de rester chez soi. Les seuls moments où l'on peut diminuer ses sorties sont ceux où le temps est à la fois pluvieux et glacial.

Une autre conclusion ressort de cette étude : c'est pendant l'été que l'on prépare son corps et son esprit à l'hiver. En été, nous reconstituons le stock de vitamines et de sensations qui nous seront utiles aux moments les plus sombres de l'hiver.

La vitamine D, clé de l'hiver

La vitamine qui vous fera le mieux passer l'hiver est la vitamine D. Depuis le XIXe siècle, on savait que les os en avaient besoin. À l'époque, les enfants privés de vitamine D étaient atteints d'une maladie du squelette appelée rachitisme. Leurs os devenaient fragiles parce qu'ils ne pouvaient pas fixer le calcium. Aujourd'hui, chez ceux qui manquent de vitamine D en hiver, on parle de *rachitisme de l'émotion*. Ils sont tristes et sans énergie parce qu'ils n'ont pas constitué assez de réserve de vitamine en été et ne se rechargent pas en vitamine pendant l'hiver. Car, sans le savoir, nous profitons de deux sortes de vitamine D pour être en bonne santé. Il y a celle qui se trouve dans les aliments et celle que produit notre peau sous l'effet du soleil et des rayons ultraviolets. En hiver, comme nous sommes moins exposés au soleil, nos besoins en vitamine D augmentent et notre production personnelle diminue. Le manque de vitamine D n'est bon ni pour le corps ni pour l'esprit. Des récepteurs à la vitamine D sont cachés dans les zones les plus profondes et secrètes du cerveau, celles qui traitent les émotions : le système limbique et l'hippocampe. Sans vitamine D, il est donc plus difficile de mobiliser ces zones très sensibles qui nous font éprouver des émotions agréables.

Un cerveau sans vitamine s'éteint l'hiver et perd une partie de sa capacité de reconnaître et transmettre des émotions. C'est le cas des animaux qu'on a privés de vitamine D, ils deviennent tristes et n'ont plus d'énergie. Et chez l'homme qui ne voit pas le soleil pendant l'hiver, les conséquences sont impressionnantes. La taille du cerveau diminue et le risque de déprime flambe.

Le manque de vitamine D est une sorte d'épidémie hivernale masquée. Nous sommes de plus en plus nombreux à ne pas produire assez de cette précieuse vitamine quand le soleil se cache. Près de la moitié (41 %) des hommes et des femmes de plus de soixante-dix ans sont en manque de vitamine D. Tous âges confondus, 49 % des femmes et 36 % des hommes auraient besoin d'un peu plus de vitamine D pour passer un hiver en pleine forme et de bonne humeur.

Il est toutefois possible de compenser les effets de l'hiver avec des régimes riches en vitamine D. L'huile de foie de morue est l'aliment qui en contient le plus. Mais avaler chaque jour une cuillère d'huile de foie de morue n'est pas très agréable, d'autant que ce remède de grand-mère ne doit pas être pris en trop grande quantité : avec plus d'une cuillère par jour, on augmente son risque de déprime. Si le goût de l'huile de foie de morue ne vous plaît pas (et je vous comprends), vous pouvez agrémenter vos repas d'hiver d'autres aliments riches en vitamine D tels que :

— les maquereaux et les sardines à l'huile (une boîte par semaine),

— les œufs (quatre par semaine),

— les rognons,

— le foie.

Enfin, sous le contrôle de votre médecin traitant, vous pouvez prendre une ampoule de vitamine D au début de l'hiver pour protéger votre machine cérébrale à traiter les émotions. Les ampoules de vitamine D sont vendues en pharmacie. Une seule ampoule, sur prescription d'un médecin, protège jusqu'au printemps.

Qui a le plus besoin de vitamine D en hiver ?

Les personnes âgées qui sortent peu de chez elles.
Les personnes à peau foncée ou noire.
Les personnes qui ne se sont pas exposées au soleil en été (à cause d'une maladie de peau, par exemple).
Les personnes en excès de poids.
Les fumeurs.

Une recette de pain antidéprime

Le pain a toujours été le roi de la table, symbole de satisfaction des besoins et de repas complet. Avoir du pain sur sa table est la preuve que l'on est protégé de la misère, de la famine et des rigueurs de l'hiver. Celui ou celle qui gagne son pain, même à la sueur de son front, lutte à sa manière contre la déprime. Il est bien dommage que le pain soit en train de devenir une menace. Je le vois dans la vie comme en consultation. On ne compte plus celles et ceux qui s'en passent soit à cause d'une vraie maladie cœliaque, soit à cause d'une « hypersensibilité au gluten ». Le pain est pourtant un aliment de base du corps et de l'esprit. Un hiver avec des tartines passe mieux qu'un hiver sans pain. À trop vouloir protéger son intestin d'une maladie cœliaque que l'on n'a pas, on risque de se passer des vrais bienfaits du pain.

Les nutritionnistes prennent aujourd'hui la question du pain très au sérieux. Ils savent que nous en avons besoin et mesurent les effets de l'inquiétude actuelle sur le gluten. Ils viennent de trouver une manière de profiter au mieux des effets du pain sur la santé et la bonne humeur avec un « bon » gluten. Les « psycho-nutritionnistes » à la pointe du progrès invitent à un retour vers la tradition : fabriquer soi-même un pain antidéprime. Vous allez faire une expérience unique en confectionnant un aliment au gluten très digeste et qui rend de bonne humeur. Ressortez pour cela votre machine à pain injustement oubliée au-dessus d'une

33

armoire. Mieux encore : retrouvez la technique de vos parents ou de vos grands-parents du pétrissage à la main.

Le pain psychothérapeute

Toutes les étapes de la fabrication du pain sont riches en émotions positives. Vous vous concentrez sur les mouvements de vos mains. Ce faisant, vous investissez l'instant présent. Vous aurez du mal à ruminer vos angoisses si vous faites bien attention à la texture de la pâte. Quand la pâte repose, votre esprit continue d'emmagasiner de bonnes émotions. Le moral gonfle en même temps que la préparation. Vous pouvez voir prendre forme ce que vous avez imaginé puis réussi avec les ingrédients les plus simples. Ce petit exercice de réalisation d'une anticipation positive en entraînera d'autres. Vous vous êtes aperçu qu'une de vos prévisions a pu être juste. Pourquoi ne pas continuer avec d'autres anticipations qui seront elles aussi couronnées de succès ? Votre pain antidéprime travaille avec vous comme un psychothérapeute naturel : il vous donne confiance en vos capacités de prévision et de réalisation de vos projets.

Mélangez levure et méditation

Outre ses effets sur l'esprit et l'estime de soi, le pain fait du bien au corps. Le pain artisanal expose moins que les pains industriels à l'hypersensibilité au gluten. On a compris pourquoi depuis peu : le pain industriel est produit avec des farines de plus en plus blanches, épurées et artificielles. Il est pétri très longtemps et cuit très rapidement. Tout est fait pour produire les plus grandes quantités possibles de pain à moindre coût. Le résultat sur le corps s'en ressent. Le pain industriel a peu de goût et ses qualités nutritives se perdent. Il n'est plus un aliment de base mais un produit périssable qui rassit en moins d'une journée. Du fait de son index glucidique élevé, il vous apporte moins de sucres lents dont vous avez besoin l'hiver. Très gonflé, très chargé en sucre et en gluten dur, il est plus proche du bonbon que d'un aliment complet.

Quand vous préparez votre pain vous-même, vous pouvez choisir votre farine, votre levure. Vous allez préférer une farine ayant le meilleur goût possible et produite de manière artisanale. Un bon blé doit avoir un taux de protéines élevé. Il est cultivé sans trop d'engrais et en respectant le sol. L'idéal serait d'obtenir une farine de type E110, E 80 ou E65 avec 15 % de blé entier ou concassé en plus. Le gluten de ces farines sera alors plus digeste.

Pour le pétrissage, adoptez la loi du moindre effort. Quand vous pétrissez peu, vous faites rentrer moins d'air dans votre pain et vous le rendez plus digeste. Plus on pétrit de manière énergique et longtemps, plus on fabrique un pain qui se rapproche du pain industriel. Ses molécules de gluten se figent et le pancréas les digère moins bien. Les paresseux et les méditatifs font les meilleurs boulangers ! La fortune ne sourit pas non plus aux impatients qui mettent trop de levure pour que leur pain monte plus vite. Ralentissez votre esprit en même temps que votre préparation culinaire.

Pour ressentir tous les effets du pain antidéprime, vous pouvez, après quelques minutes de m⁻¹axage, laisser la pâte se reposer une heure. Puis, pétrissez-la trois à quatre minutes. Et recommencez une minute toutes les heures. Entre les pétrissages, construisez-vous un programme relaxant de lecture ou de musique.

Vous pouvez laisser fermenter votre pain quinze à dix-huit heures avant de le cuire. Encore mieux que la levure, fabriquez-vous un *poolish* – une pâte liquide ensemencée avec très peu de levure. C'est ce *poolish* qui va délicatement faire monter votre préparation. Votre pain antidéprime sera un peu fermenté et aura du goût... En plus de celui de l'effort fourni.

Vous voulez continuer à fabriquer un aliment protecteur de votre santé et de votre bonne humeur ? Mettez le moins de sel possible, vous protégerez ainsi vos vaisseaux et votre tension. La quantité maximale de sel est de 16 g par kilo de farine. Si votre pain s'enrichit en omégas 3 naturels, c'est encore mieux. Il profitera, et vous aussi, de quelques graines de tournesol ou de lin.

Finissons l'exercice avec la forme de votre pain naturel. Il a peu de chances de ressembler à une baguette. Il ne sera pas soufflé, il aura plutôt une forme ronde et aplatie. Un peu de modestie en regardant votre œuvre achevée donnera un dernier coup de pouce à votre bonne humeur.

Le pain comme fondement universel du bonheur

La plupart des cultures nationales et religieuses donnent au pain un statut à part. Les militants antigaspillage veulent avec raison le recycler pour les plus pauvres plutôt que de le jeter. Le pain ne se retourne pas sur une table pour ne pas ressembler au pain du bourreau qui était cuit à l'envers. Le Talmud fait commencer les repas quotidiens par une bénédiction du pain et les repas de fête par une bénédiction du vin. Quand le vin est béni en premier, on cache le pain par respect, afin de ne pas le « vexer ». En hiver, le pain est paré de pouvoirs magiques. La nuit de la Saint-Sylvestre, certains ont coutume d'écouter le four à pain pour se faire une idée de ce que sera l'année à venir.

La dernière étape est la plus agréable mais pas toujours la plus facile. Prenez un morceau de votre pain, à peine sorti du four, et appliquez-lui les principes de la méditation et de la fixation sur l'instant présent. Avant d'y goûter, concentrez-vous sur son odeur, sa texture sous les doigts, la sensation de chaleur qu'il vous apporte. L'objectif est de chasser de votre esprit toutes les pensées qui ne se rapportent pas au pain. Après quelques minutes, portez-le à la bouche en vous concentrant sur son goût, sa texture, et sur les sensations partant de la langue et descendant vers votre estomac. Vous aurez fait le plein de « bon » gluten, de sucres lents et d'expériences antidéprime. Si j'osais, j'écrirais sur mes ordonnances de bonne humeur : « Faire son pain soi-même une fois par semaine. »

Les cornichons et la choucroute comme antidépresseurs naturels

En regardant un bocal de cornichons, vous êtes loin d'imaginer combien ces petits légumes verts peuvent changer votre vie. Et pourtant, si vous saviez ! La découverte du pouvoir du cornichon et de la choucroute vient de deux observations. La première est que les hommes et les femmes de bonne humeur ne mangent pas les mêmes aliments que celles et ceux qui sont moroses. Il y a des régimes créateurs de bonne humeur et des régimes démotivants ou attristants. Aussi étonnant que cela puisse paraître, celles et ceux qui mangent trois fois par semaine des aliments stimulant l'intestin comme les cornichons, les pickles ou la choucroute ont un meilleur moral. Une vaste enquête auprès de milliers d'étudiants américains a démontré une corrélation entre ce que ceux-ci mangeaient et leur bonne humeur.

Parallèlement à ces observations sur les régimes de bonne et de mauvaise humeur, les scientifiques n'ont pas hésité à se plonger dans les profondeurs de notre intestin. Ils ont mesuré les pouvoirs d'un nouvel organe de moins en moins caché : le microbiote, auparavant appelé flore intestinale. Les cellules et organismes de celle-ci sont dix fois plus nombreux que toutes les autres cellules de notre corps. Il y a dans notre intestin 150 fois plus de gènes et de chromosomes que dans toutes les autres cellules – encore un chiffre qui fait frémir ou rêver. Et dans le microbiote résident plus de cent mille milliards (ou billions) d'espèces de bactéries. Nous n'avons donc pas fini de mesurer l'importance de ce microbiote qui contrôle notre intelligence, notre mémoire et notre résistance aux maladies du corps et de l'esprit.

On commence à mieux comprendre le lien secret entre aliments, intestin et émotions. Selon ce que nous leur apportons, les micro-organismes installés dans notre intestin vont produire plus ou moins de *sérotonine*. Cette sérotonine – l'hormone de base de la bonne humeur – passe dans le cerveau. Elle se fixe sur des récepteurs spécifiques qui contrôlent le niveau de notre humeur. Quand la sérotonine baisse, la déprime est presque immédiate. C'est prouvé chez les animaux que l'on prive de tryptophane – le précurseur de la sérotonine. Les rats auxquels on impose un régime sans tryptophane s'enfoncent en quelques jours dans la perte d'énergie et de mouvement. Ils ne fabriquent plus de sérotonine et n'ont plus d'enthousiasme.

La molécule-clé de la bonne humeur provient donc de notre intestin et de nos aliments. Ainsi, les plats antidéprime stimulent la flore intestinale et lui permettent de fabriquer des antidépresseurs naturels. L'intestin produit donc la même sérotonine que les médicaments actifs sur l'humeur. Sauf que les antidépresseurs naturels ou produits localement n'ont aucun effet indésirable. La sérotonine fabriquée par l'intestin n'a que des avantages.

Le microbiote est sensible à tout ce qui nous arrive, à notre personnalité, à nos émotions, aux événements de la vie et également aux saisons. En hiver, il a particulièrement besoin d'attention et d'aliments qui le stimulent, tels la choucroute, les pickles et les cornichons. Vous avez accepté l'idée de respecter l'écologie de la planète ? Vous devez aussi protéger l'écologie de votre intestin en le chargeant en bonnes sources d'énergie. Outre des cornichons, offrez-lui des yaourts qui feront de lui votre allié dans les moments de stress.

Calmer le grignotage inutile

Tatian Von Stien, comportementaliste en Hollande, suggère un exercice pour ne pas prendre de poids en hiver et gagner en bonne humeur. Je m'en sers souvent dans ma pratique.

Reconnaissez vos trois principales causes de fringales
Elles sont spécialement présentes les jours froids et gris, au moment où l'on a envie en rentrant chez soi de se jeter sur le premier gâteau ou chocolat à notre portée.

La faim émotionnelle : c'est la faim en réponse aux petits et grands stress ou à la fatigue. On mange par consolation plus que par besoin ou plaisir. L'aliment est un faux médicament. Et comme son effet nous déçoit, on augmente les doses ou les fréquences dans l'espoir d'aller mieux. On finit seulement écœuré ou empâté. Mieux vaut se consoler avec des expériences antidéprime qu'avec des sucreries.

La faim réflexe : vous n'avez pas vraiment faim mais vous êtes tenté en voyant ou sentant un plat auquel vous ne savez pas résister. Ou alors votre estomac crie famine simplement par habitude car c'est l'heure à laquelle vous mangez d'ordinaire.

La faim par manque ou frustration : elle apparaît chez celles et ceux qui s'imposent des régimes trop restrictifs. Ils ne peuvent pas tenir en permanence leurs objectifs. Régulièrement, ils craquent, ruinent en une heure les efforts de la semaine et se reprochent d'avoir craqué. En réaction à leur sentiment de culpabilité, ils s'affament encore plus et entrent alors dans un cercle vicieux : frustration → dérapage → culpabilité → augmentation de la frustration → nouveau dérapage, etc. Il suffit juste de revoir ses objectifs de régime légèrement à la baisse pour dépasser les accès de faim-frustration.

Le thé noir
est une potion magique chinoise

Les Chinois ne se contentent pas de produire du thé. Ils aiment cette boisson, en boivent et ils viennent d'en évaluer les effets sur l'humeur. Le thé met en harmonie le corps et l'esprit. Selon la médecine chinoise, il diffuse ses pouvoirs dans nos rêves, nos désirs et nos pensées les plus cachés. Les médecins chinois ont aussi démontré que les buveurs réguliers de thé noir sont moins déprimés que les amateurs d'autres thés, et que le thé noir est meilleur que le vert. Ils n'ont pas constaté d'action aussi bénéfique du thé vert sur les émotions.

Le risque de déprime est divisé par deux chez ceux qui boivent moins de trois tasses de thé noir par jour, et divisé par trois chez les buveurs de plus de trois tasses. Plus impressionnant, l'action du thé noir, comme celle d'un médicament, dépend de la dose de théine. Quand on augmente le nombre de tasses, l'effet est encore plus net. À en croire les expériences les plus récentes, le thé n'est pas loin d'être un stimulant de l'humeur. Il diminue la réponse au stress et permet au corps de produire des anti-inflammatoires naturels. Le thé met au repos l'axe entre l'hypothalamus situé dans les profondeurs du cerveau, l'hypophyse et les glandes surrénales, au-dessus des reins. Nous produisons donc moins d'adrénaline – l'hormone de la mauvaise humeur et du stress – quand nous buvons du thé. Celui-ci augmente aussi le nombre de molécules identiques aux antidépresseurs présentes dans notre cerveau. Il accroît également la production de sérotonine et de dopamine. La sérotonine étant l'hormone de la bonne humeur et la dopamine celle de l'action, de l'initiative et de la recherche d'aventure et de nouveauté. Après un bol de thé en hiver, vous n'êtes plus attristé par le froid et vous avez envie de sortir de chez vous pour découvrir des plaisirs inédits et des activités à sensations.

Si vous hésitez entre le thé en sachet et celui en feuilles, sachez que le thé en sachet contient plus de caféine. Il énerve et gêne davantage les petits dormeurs et les insomniaques. En revanche si vous vous sentez fatigué, vous tirerez plus de bénéfice du thé en sachet qui a probablement la meilleure action stimulante. Enfin, la manière dont le thé a été cultivé, son degré de fermentation et le chauffage des feuilles sont des qualités importantes. Les thés les plus bénéfiques pour l'humeur sont aussi les plus naturels. Une fois encore, le bon sens médical rejoint la compréhension des émotions. Dernière remarque : n'abusez quand même pas du thé. Au-delà de quatre tasses par jour, les effets toxiques peuvent apparaître.

Médither

Le thé ne se boit pas sans un certain rituel qui fait autant de bien que le liquide lui-même. En trempant dans l'eau un sachet ou des feuilles de thé, vous travaillez votre faculté d'anticipation et votre concentration sur l'instant présent. Vous faites usage de patience en attendant qu'il infuse pendant cinq minutes. Vous imaginez son goût avant de le boire et vous confrontez ce que vous avez prévu à ce que vous vivez vraiment. Ce faisant, vous développez votre optimisme.

Posez ensuite vos mains sur le bol de thé et profitez de sa chaleur. Un autre effet bénéfique va vous surprendre. Les vaisseaux de vos doigts se dilatent au contact du chaud. Cette chaleur au bout des doigts envoie à votre corps et votre esprit un message de tranquillité. Quand vous attendez un ami ou un rendez-vous important, vous vous installez naturellement devant une boisson chaude.

Le temps passe plus vite quand les doigts sont chauds et les vaisseaux dilatés. L'hiver, le contraste est particulièrement agréable entre le froid extérieur et la chaleur des doigts qui remonte vers la tête.

Le thé facilite la méditation, la concentration et la rêverie. Trente minutes après avoir fini votre tasse, vous êtes plus attentif à votre travail ou à votre lecture. Celles et ceux qui croient augmenter leur concentration en fumant se trompent. Ils gagneront à remplacer la cigarette par du thé. Dans le même temps, vous stimulez votre capacité à visualiser des situations agréables. Le thé fait travailler la machine cérébrale à produire des images mentales. En vous imaginant dans un endroit agréable ou en sympathique compagnie, vous multipliez par deux les effets du thé sur vos émotions positives.

À vous d'imaginer la situation qui réchauffera le plus votre esprit. Comment vous voyez-vous ? Seul ou en groupe, dans un lieu familier ou un pays inconnu ? Le thé vous fait voyager sans quitter votre table, votre bureau ou votre salon. N'oubliez pas de faire preuve d'un peu de délicatesse dans le choix du service. Je trouve que le thé produit encore plus de belles images mentales et de rêveries quand on le boit dans sa tasse ou son mug préféré. Continuez à *médither* en compagnie de William Gladstone, ancien Premier ministre anglais et grand buveur de thé. Il était un poète de cette boisson qu'il aimait presque autant que le whisky :

Si tu as froid, le thé te calmera

Si tu as chaud, il te détendra

Si tu es dépressif, le thé te réconfortera

Si tu es excité, il te calmera

L'amour et le scandale sont les meilleurs sucres pour le thé.

L'hiver heureux
comme un poisson dans l'assiette

Pour bien passer l'hiver, vous avez besoin, c'est maintenant prouvé, d'une solide ration de poisson et d'omégas 3. Le poisson, consommé au moins trois fois par semaine, vous fera passer du côté de ceux qui ont assez de ces précieux omégas 3. Les amateurs d'omégas 3 entretiennent à chaque repas la santé de leur corps comme celle de leur esprit. Les résultats des expériences menées à grande échelle sur les amateurs de poisson sont impressionnants. Plus on consomme de poisson ou d'huile de foie de morue, tous deux riches en omégas 3, moins on ressent de coup de déprime l'hiver. Les navigateurs de l'Arctique ont, bien malgré eux, confirmé les effets bénéfiques des omégas 3 et le danger du manque de poisson. Quand ils s'éloignent des zones de pêche – et mangent donc moins de poisson –, leur bonne humeur diminue en même temps que leur énergie. Un minimum de trois plats de poisson par semaine est donc recommandé pour garantir santé et bonne humeur durant tout l'hiver. Vous allez regarder votre poissonnier différemment. Vous n'imaginiez pas avoir autant besoin de lui que d'un psychothérapeute naturel !

Un régime riche en omégas 3 n'est pas seulement important pour les adultes. Plus il commence tôt, plus il protège le cerveau, l'humeur et le cœur des adolescents. Chez les femmes enceintes, l'apport en omégas 3 est encore plus vital. Ce que la future mère mange comme quantité de poissons va permettre au fœtus de mieux développer son cerveau.

Arrêter de fumer
pour relancer ses antidépresseurs naturels

Les cigarettes abîment les poumons et augmentent le risque de cancer. Ça, vous le saviez. Mais, depuis quelques mois, on a aussi appris que la cigarette augmente la dépression. Car la cigarette est un modèle parfait de faux ami. Si vous fumez, c'est que vous faites confiance à un produit qui en réalité ne vous veut que du mal. Les fumeurs sont apaisés et stimulés pendant quelques minutes par leur cigarette. Ils ont l'impression qu'ils sont moins stressés et qu'ils se concentrent mieux parce qu'ils fument. En hiver, ils goûtent au plaisir chaud de leur pipe ou de leur cigare. Ils croient se détendre mais ils se trompent. La cigarette fait perdre plus de bonne humeur qu'elle n'en apporte. Elle détruit dans le cerveau presque toutes les molécules de la bonne humeur. Ainsi, on commence à comprendre comment la cigarette fait du mal au moral. La vitamine D protège le corps et l'esprit pendant l'hiver. La cigarette, elle, ruine vos stocks en vitamine D. La moitié des fumeurs réguliers sont en manque de cette précieuse vitamine de la bonne humeur. Plus ils fument depuis longtemps, plus la quantité de vitamine D dans leur organisme diminue.

Faites la liste des plus et des moins pendant le mois de décembre

La meilleure technique pour un sevrage de tabac heureux s'appelle la balance décisionnelle. Sur une feuille divisée en deux par une ligne verticale, écrivez – à gauche, et + à droite. Dans la colonne des plus, notez ce que le tabac vous apporte et ce qui vous donne envie de continuer à fumer. Dans la colonne des moins, inscrivez les bonnes raisons d'arrêter de fumer – ce que le tabac vous cause comme souci, en quoi le tabac vous inquiète. En complétant votre tableau durant tout le mois de décembre, vous allez voir la colonne des moins s'allonger. Les raisons d'arrêter de fumer vont augmenter jusqu'au 1er janvier où vous serez fin prêt à commencer une nouvelle année sans cigarette.

+	–
Pourquoi je fume	**Pourquoi je pourrais arrêter**

Une manière simple de retrouver son niveau d'énergie et de vitamine D est donc d'arrêter de fumer. En hiver, le 1er janvier peut donner l'envie ou le courage de prendre une bonne résolution.

Cesser de fumer est sans doute la décision la plus utile pour sa santé que l'on peut prendre à l'occasion de l'année nouvelle. J'aime proposer l'arrêt de la cigarette comme un pari sur la santé du corps et sur la bonne humeur. Je fais ce pari avec des ex-fumeurs qui s'ignorent, qui n'ont pas encore découvert les bonheurs de la vie sans tabac. En un mois sans tabac, ils seront plus gais, plus alertes et en meilleure forme. Ceux qui ont relevé le défi ont rarement été déçus.

Marcher dans le froid pendant six minutes

La psychologie moderne vous fait un peu réfléchir et surtout beaucoup marcher, courir et danser. Sachez que dès que vous quittez votre fauteuil trop moelleux, vous ressentez du bien-être et des émotions positives. Le plus grand danger de l'hiver, c'est la flemme. Ce que l'on prend à tort pour de la déprime hivernale ou un manque d'énergie n'est souvent qu'un manque d'activité physique. La météo invitant moins à l'action, on se laisse un peu aller. Les sédentaires sont des déprimés en puissance.

Une nouvelle preuve des bienfaits de l'exercice en hiver nous vient des Pays-Bas. Des hommes et des femmes fatigués par l'hiver ont porté un actimètre à leur poignet. Ce petit appareil mesurait en permanence leur activité physique et calculait le nombre de pas faits dans la journée, les moments d'exercice les plus intenses et les heures de la journée où ils bougeaient le plus. Les résultats, sans appel, vont vous faire enfiler vos tenues de sport. Car, en hiver, plus on bouge, moins on est fatigué. Les hommes et les femmes les plus en forme, physiquement et psychologiquement, sont ceux qui se réveillent plus tôt le matin et passent le moins de temps au lit (en dehors des heures de sommeil réparateur). Quand ils marchent et pratiquent autant d'exercice physique en hiver qu'en été, ils sont moins atteints par le blues du mauvais temps.

L'hiver, le mieux pour le corps est de pratiquer une activité régulière et tranquille. Certes, s'épuiser une fois par semaine est préférable à ne rien faire, mais l'idéal est une petite sortie par jour. Les efforts brutaux, les « aujourd'hui, je me donne à fond et je récupère pendant un mois », les sprints suivis de longues journées de paresse, tout cela recharge moins en émotions positives que les marches quotidiennes et calmes. Si vous voulez une explication biologique un peu simple mais plutôt vraie, la voici :

L'*activité* augmente les *endorphines* et toutes les autres molécules de la bonne humeur.

L'*épuisement* augmente l'*adrénaline*, qui est l'hormone du stress.

Mais attention ! Après l'effort, pas trop de réconfort. Pas trop d'alcool, de vin chaud et de longues heures au lit à récupérer. Quand tout vous pousse à somnoler, vous avez intérêt à résister à la sieste. La sieste est plus toxique pour votre horloge biologique l'hiver que l'été.

Il vous sera plus difficile de vous resynchroniser après une sieste quand les jours sont courts et la lumière rare. Si vous dormez longtemps dans la journée, votre cerveau se programme pour la nuit. Au réveil, vous ne recevez pas assez de lumière pour réveiller vos centres de la vigilance. Celles et ceux qui dorment une heure dans la journée l'hiver perdent en bonne humeur sans pour autant voir leur fatigue diminuer.

Par conséquent, les personnes les plus en forme l'hiver sont celles qui :

– marchent tous les jours,
– font des séances d'exercice d'une heure, au moins trois fois par semaine,
– ne font pas de sieste de plus de trente minutes,
– se réveillent en semaine avant 8 heures du matin.

Dernier bénéfice de l'activité physique en hiver : elle diminue les douleurs et les autres petits désagréments corporels, habituels à cette époque de l'année. Quand vous bougez et que vous vous levez tôt, vous stimulez les morphines naturelles que produit votre cerveau. Ces endorphines sont les meilleurs des antidouleurs naturels. Elles n'ont aucune toxicité et sont bien plus efficaces que beaucoup de médicaments. En outre, les endorphines rendent heureux. Et, bien entendu, les endorphines naturelles ne recèlent aucun des dangers de la morphine, de l'héroïne, ou des antidouleurs chimiques.

Les effets de l'exercice physique

Diminution de l'adrénaline (hormone du stress)
Augmentation des endorphines (morphines naturelles)
Entraînement du cœur et des vaisseaux
Charge en émotions positives et en bonne humeur dès les six premières minutes d'exercice

---

Tout cela est bien beau mais vous vous demandez peut-être comment commencer à bouger dans le froid. Que faire si votre activité préférée est de regarder une série à suspense sur votre tablette ou à la télévision ? En plein soleil, vous n'aviez déjà pas tellement envie de bouger, alors comment se motiver pour sortir avec une météo peu engageante ?

Les cardiologues, experts en santé du corps et de l'esprit, nous donnent un conseil facile à mettre en pratique et à la portée de tous : six minutes de marche rapide par jour, ce qui représente en moyenne un parcours de 653 mètres. Dès la fin de ces six minutes d'activité, vous ressentez un premier effet de bonne humeur. Vous avez augmenté de 30 % vos scores d'émotions positives et diminué d'autant vos émotions négatives. En six minutes de marche rapide, vous ne vous épuisez pas, vous ne prenez pas de risque médical, et commencez simplement à goûter les bienfaits de l'activité physique sur les émotions. Je prends avec vous le pari que vous aurez envie de continuer, d'aller plus loin pendant plus longtemps et qu'au printemps vous ne pourrez plus vous arrêter de bouger.

Les bienfaits scientifiques d'une semaine de ski

Les météorologues japonais ont mesuré la pollution aux particules fines à Tokyo entre 2001 et 2011. Ils ont cherché une corrélation entre les suspensions de particules fines, la bonne humeur et la déprime. Le verdict est formel. Plus la pollution augmente, plus le niveau de bonne humeur baisse. Les plus jeunes (moins de trente ans) et les plus âgés (plus de soixante ans) y sont les plus sensibles.

Comment la pollution augmente-t-elle la déprime? Elle crée une inflammation du cerveau qui le rend plus sensible au stress en fragilisant ses cellules et les connexions entre neurones. La pollution augmente aussi les hormones du stress comme l'adrénaline et le cortisol. La bonne nouvelle, c'est que ces effets de la pollution disparaissent après quatre jours au grand air. En vous inspirant des résultats de cette étude, vous n'aurez plus de scrupules à prendre, même en hiver, un week-end prolongé ou une semaine de temps en temps. En travaillant votre ski, vous travaillez votre forme physique et vous dépolluez votre cerveau.

Traitez vos infections hivernales en attendant le vaccin antidéprime

La déprime n'est pas, vous vous en doutez, une maladie virale. Pourtant, de plus en plus de chercheurs se demandent si une infection ou une inflammation du cerveau ou de tout le corps ne pourrait pas être la principale cause de la déprime. Si, comme moi, vous aimez voir la recherche médicale progresser, vous serez intéressé par les travaux sur les vaccins antidéprime. Aucun n'est encore au point, mais certains spécialistes des virus sont convaincus de trouver, dans un avenir proche, un vaccin qui protégera des coups de blues. Vous vous imaginez être vacciné au début de l'hiver contre les accès de tristesse ?

D'autres chercheurs se demandent si la déprime n'est pas une agression de l'organisme contre lui-même. Lorsque l'on est de mauvaise humeur, on se fait des reproches… Cette auto-agressivité psychique ne nous ferait-elle pas fabriquer des anticorps contre nous-mêmes ? Les auto-anticorps toxiques iraient bloquer dans le cerveau les centres de la bonne humeur. La piste de la déprime comme une maladie « auto-immune » est prometteuse. Qui sait si demain on n'expliquera pas le sentiment de culpabilité par le fait qu'une partie de nos cellules protectrices se trompe de cible et se retourne contre nous ? Quand je me fais des reproches, mes anticorps et mes cellules de défense me prennent au mot et m'attaquent.

Si l'on quitte la science-fiction pour revenir à la médecine classique, deux observations rapprochent déprime et infection. La première est connue depuis longtemps, chacun de nous en a fait l'expérience. Après une maladie virale, une grippe ou toute autre infection, on se sent fatigué, abattu et un peu morose. Rien ne ressemble plus à la déprime que ce drôle d'état de flottement du corps et de l'esprit qui suit la contamination du corps par un virus ou une bactérie. Quelques grands romans du siècle dernier, comme *La Montagne magique* de Thomas Mann, avaient pour cadre un sanatorium. Les tuberculeux de l'époque étaient moroses, accablés par la faiblesse de leur corps et de leur esprit. Ils espéraient trouver du réconfort dans le grand air des montagnes et la philosophie.

La seconde observation sur les liens entre infection et déprime est plus récente et plus étonnante. Elle nous vient du Brésil. Les résultats de prises de sang réalisées sur des hommes et des femmes atteints de déprime ont révélé des indices d'un syndrome inflammatoire. Leur organisme se défend. Il lutte contre une infection en produisant des anticorps. On peut doser ces anticorps mais la bactérie ou le virus contre lequel leur système immunitaire combat n'est pas visible. La déprime peut être comprise comme une réaction à un agent extérieur « fantôme » ou non encore identifié. La suite est encore plus surprenante. Quand les déprimés changent leurs habitudes de pensée et de vie, leur inflammation disparaît. Comme par magie, leurs anticorps cessent de les attaquer. Les déprimés qui sortent et vont voir des amis font baisser encore plus vite leurs marqueurs biologiques de l'inflammation. À l'opposé, les personnes solitaires, qui sont en conflit avec leur entourage, gardent plus longtemps un état de déprime et un syndrome inflammatoire.

Que faire de toutes ces informations diverses et variées ? Je vous propose deux attitudes de bon sens. La première est de traiter sans tarder les infections de l'hiver et d'éviter qu'elles ne dégénèrent en déprime post-infectieuse. Le traitement des infections ne passe pas toujours par des antibiotiques. Un bon médecin saura vous rappeler que « les antibiotiques c'est pas automatique ». Avec un peu de repos et un organisme qui ne manque pas de ses vitamines de base, on se défend mieux contre l'infection. La déshydratation s'évite en prenant des boissons chaudes, qui font en même temps du bien au moral, et l'on doit se nourrir suffisamment pour ne pas ajouter les effets du jeûne à ceux des microbes.

Les déprimés brésiliens nous donnent une autre leçon plaisante à mettre en pratique. Les mélanges d'infection, d'inflammation et de déprime s'aggravent si l'on reste seul chez soi et guérissent plus vite si l'on s'offre un peu d'exercice physique, des moments de relaxation et une vie sociale et amicale. Voici une raison médicale supplémentaire de quitter votre fauteuil et de sortir de votre isolement. Regardez vos amis comme ce qu'ils sont vraiment. Des anti-dépresseurs naturels qui agissent sur votre humeur et même sur votre immunité.

Grippe et déprime

L'une des causes de la déprime est l'augmenta-tion des protéines de l'inflammation (cytokines) par le virus de la grippe. Cette inflammation se propage dans le cerveau et diminue la quantité de sérotonine dans les neurones. Un laboratoire suisse vient de passer en revue 103 000 dossiers médicaux datant de 2000 à 2013. Celles et ceux qui ont eu la grippe ont, entre un et six mois plus tard, 1,5 fois plus de risque d'être atteints par la déprime. Le fait d'être touché par la grippe pendant trois ans de suite augmente le risque de déprime de 40 %.

Faut-il en conclure que le vaccin antigrippal pro-tège de la déprime ? Peut-être pas. Mais le lien entre grippe et déprime est une piste que de pro-chaines études vont devoir explorer. En tout cas, si votre médecin vous suggère de vous protéger de la grippe en vous vaccinant, vous saurez que ce vaccin peut aussi diminuer le risque de déprime hivernale.

UN ESPRIT
EN PLEINE FORME

Comment enfin tenir
ses résolutions du 1er janvier

Vous savez à quoi l'on reconnaît les résolutions de début d'année ? On ne les tient presque jamais et on se le reproche toute l'année. On critique sa faiblesse et son manque de volonté. Les statistiques sur les résolutions hivernales n'ont rien de rassurant. 82 % des résolutions du 1er janvier sont oubliées dès le lendemain. Elles s'entassent dans notre esprit au rayon déjà bien fourni des occasions manquées et des regrets. Voici quelques idées de bon sens pour échapper au Syndrome de la Saint-Sylvestre et augmenter vos chances de réussite :

1. Vous n'êtes pas obligés de prendre de (bonnes) résolutions chaque 1er janvier
Ce n'est pas parce que l'on change d'année que ce jour est le plus adapté pour changer une habitude ou un défaut gênant. Votre calendrier personnel, familial ou religieux peut vous faire choisir une autre date-clé comme période de changement.

2. Si vous prenez une résolution, soyez modeste dans vos objectifs
Vous n'allez pas changer du tout au tout entre le 31 décembre et le 1er janvier. Il n'y aura pas de grand

soir et de grand matin. Si, pour l'année nouvelle, vous voulez vous transformer en ascète, en une personne parfaitement morale ou encore en athlète, c'est sûr que vous n'y arriverez pas. La résolution doit être le plus simple et le plus accessible possible. Quelques minutes d'exercice physique en plus par jour, un petit changement dans votre relation à l'alcool, au tabac ou à la nourriture, une petite expérience de méditation. Ce sont des projets à votre portée en début d'année. Ne vous en moquez pas. Il n'y a que les petites évolutions qui produisent de vrais progrès. Comme le disent les philosophies asiatiques, c'est marche par marche que l'on arrive en haut d'une montagne.

3. *Avant de prendre une résolution pour la nouvelle année, souvenez-vous de celles que vous avez réussi à tenir et de celles qui étaient impossibles*

Ce petit exercice de mémoire va vous rendre plus réaliste et vous aider à repérer votre style de changement. Êtes-vous un homme ou une femme de révolutions, de grandes crises ou de petites évolutions ? Il vous sera plus facile de savoir, votre passé bien en mémoire, quelle résolution est la plus adaptée à votre style de vie.

4. *Passez en revue vos succès, vos résolutions tenues*

Remémorez-vous les moments où vous vous êtes surpris en bien. Vous pensiez que la réussite était impossible mais vous y êtes arrivé. Le souvenir des succès passés augmente votre confiance en vous. Il vous prépare aux défis de l'année nouvelle. Vous ne vous voyez plus comme incapable d'évoluer ou de progresser. Votre passé peut devenir alors votre allié.

5. *Identifiez la procrastination comme le pire ennemi de vos résolutions*

Vous connaissez la procrastination. C'est la tendance que l'on a tous un peu à remettre au lendemain ce que l'on peut faire le jour même. La plupart des résolutions que l'on ne tient pas sont engluées dans la procrastination. On hésite, et on attend trop. Si vous prenez un engagement, mettez-le en œuvre dès le 1er janvier. À partir du 2 janvier, vos chances de succès diminuent. Vous allez trouver toutes les bonnes raisons d'attendre le 3 puis le 4 janvier. Vous êtes vite reparti jusqu'à l'année prochaine.

6. *Faites confiance au temps qui va devenir votre allié dès le premier pas*

Sans que le chiffre soit absolument confirmé, l'association américaine de psychologie dit qu'une habitude répétée pendant 66 jours a toutes les chances de durer presque toute la vie. Le temps joue contre vous quand vous attendez pour mettre en pratique votre choix. Il joue pour vous si vous avez tenu deux mois. Vous ne reviendrez pas en arrière. Le Talmud est encore plus optimiste. Il dit qu'une action que l'on a réalisée trois fois de suite devient un engagement sur lequel on ne peut plus jamais revenir.

7. *Associez contrainte et plaisir*

Aucun de nous n'a envie de se priver ni de renoncer à un comportement ou une substance qui lui fait plaisir. Votre résolution sera d'autant plus facile à tenir si vous y ajoutez une petite récompense personnelle. Si j'arrête de fumer, je m'autorise une fois par semaine… À vous d'imaginer la suite et de choisir votre gratification.

8. *Faites de Darwin votre allié*

Le naturaliste Charles Darwin a expliqué que le changement fait du bien, qu'il est même vital car seules les espèces animales qui ont été capables de changer et de s'adapter ont survécu. C'est également vrai pour l'espèce humaine. La règle vaut aussi bien pour vous et votre style de vie. En développant votre capacité de changement, vous vous renforcez. Chacun des petits changements réussis en début d'année accroît votre estime de vous-même, votre confiance et votre résistance au stress.

9. *Trouvez-vous un allié, un complice ou un confident témoin de la tenue ou non de vos résolutions*

Il est plus facile de tenir un engagement personnel si l'on peut en parler à quelqu'un, partager sa fierté et ses doutes. L'engagement est d'autant plus fort qu'il est collectif. Choisissez avec soin le partenaire qui ne se moquera pas de votre éventuel échec et qui n'augmentera pas la pression si vous êtes sur le point de céder.

10. *Ne prenez de résolution que sur ce que vous désirez vraiment changer*

La base du changement est une décision personnelle. Quand vous êtes vraiment motivé, vous hésitez parfois à vous engager. Dans ce cas, l'effet 1er janvier va vous être utile. Mais si votre résolution n'est qu'un vœu pieux, une incantation, elle ne sert à rien. La résolution ne crée pas de motivation à elle toute seule. Elle pousse à mettre en action ce pour quoi nous sommes déjà motivés. Le travail le plus important se réalise avant la prise de résolution – c'est en décembre que l'on prépare ses défis de janvier. Levez vos doutes. Mesurez vos désirs de changement, pesez le pour et le contre et fixez-vous une date – le 1er janvier – à partir de laquelle vous pourrez enfin changer.

Une heure de lumière forte, naturelle ou artificielle, par jour

Ce n'est pas parce que les jours sont courts et le soleil rare qu'il faut renoncer aux bienfaits de la lumière. La lumière électrique suffisamment forte agit autant sur la bonne humeur que le soleil. Son action part de la rétine et agit sur l'hypothalamus dans le cerveau. Le signal électrique transmis au cerveau lui fait fabriquer une hormone de la bonne humeur, la sérotonine. Il suffit de passer deux heures en pleine lumière pour se sentir plus en forme, plus vif intellectuellement. Sous l'effet de la lumière, on a moins faim, on se concentre mieux et on a davantage de mémoire. Enfin, la lumière diminue la ghréline, une des molécules qui maintiennent artificiellement la sensation de faim. La lumière la plus stimulante est bien sûr celle du soleil mais, faute de mieux, la lumière artificielle convient aussi.

L'utilité de la lumière artificielle en hiver vient d'être prouvée par une expérience avec des hommes et des femmes volontaires vivant dans une pièce très éclairée. Ils se sentaient plus en forme. La même expérience a démontré que la pénombre rend morose. Elle diminue l'énergie, augmente la faim et fait baisser la sérotonine. En pratique, une heure par jour d'exposition à la lumière suffit. S'il y a du soleil, profitez-en. Si le temps est gris, vous pouvez utiliser les ampoules et halogènes de votre appartement comme un substitut du soleil. L'important est de passer au moins une heure chaque jour dans une ambiance très éclairée.

Les ruses anti-hiver des Finlandais

Les effets des saisons sont accentués dans les pays comme la Finlande où les hivers sont les plus rigoureux et les jours les plus courts. Du fait du manque de lumière, les Finlandais sont plus fatigués en hiver, plus énervés et ont davantage faim. Cette modification de leurs émotions s'explique par une diminution de la vitamine D et de la sérotonine quand l'ensoleillement est rare.

À Helsinki, la fluctuation de l'humeur est particulièrement nette. Les Finlandais sont conscients des risques auxquels est exposée leur bonne humeur. L'hiver, ils chargent leur régime en vitamine D et cherchent des sources de lumière artificielle. Ils trouvent d'autres stimulations dans la musique et dans les réunions amicales et familiales. Une fois encore, il n'y a pas de fatalité de la tristesse en hiver.

Le miracle du *nexting*

L'anticipation est une capacité intellectuelle qui aide à traverser les moments difficiles. Nous avons toujours la possibilité d'imaginer ce qui va suivre et de vivre en pensée des moments plus motivants qu'un présent qui ne nous plaît pas. Ce pouvoir d'anticipation ou de *nexting* se travaille. C'est une faculté de l'esprit utile quand vous êtes exaspéré par les températures ou le manque de lumière.

Vous en avez assez des jours trop courts ? Rallongez-les à coup de *nexting*. Pensez au printemps et aux vacances qui arrivent. En vous imaginant en plein été ou au printemps, en pensant à vos vacances, vous faites vivre à votre cerveau une expérience stimulante. Grâce à vos rêveries, il part vraiment en vacances. L'aventure vient d'être proposée à soixante-dix Anglais d'Oxford, qui se sont imaginés dans les situations les plus agréables et ensoleillées possible. Pour nourrir leur capacité d'anticipation, plusieurs thèmes leur ont été proposés :

– au travail,
– avec un ami,
– en famille,
– dans un moment d'intimité amoureuse.

En trois séances, les volontaires se sont entraînés à produire des images mentales dans lesquelles ils se donnaient un beau rôle tout en échappant à l'hiver. Résultat : ils sont sortis de l'expérience requinqués et de meilleure humeur. La magie de la psychologie moderne est que l'on ne se contente plus de mesurer les impressions subjectives. Le *nexting* n'est pas un effet placebo. Il est possible d'examiner de manière objective ce qui se passe dans le cerveau quand on anticipe. L'effet *nexting* a donc été confirmé par l'imagerie par résonance magnétique. Un cerveau qui anticipe est un cerveau qui s'active. Il visualise, il produit des mots et des émotions. Dès qu'on se projette dans le futur, son activité change.

Afin de profiter au maximum du *nexting*, vous devez développer deux talents de base pour la bonne humeur : l'anticipation positive et la production d'images agréables. Si vous avez naturellement tendance à anticiper le pire, vous pouvez apprendre à aussi anticiper des événements agréables. Quand vous produisez des images, vous donnez à vos rêveries ou anticipations un plus grand impact. Imaginez-vous en train de réussir en amour ou au travail. Tournez votre film personnel et secret dont vous serez le héros... Votre belle histoire, vous l'écrivez, vous la mettez en image et vous la jouez. Cet exercice est très sérieux. Il augmente à la fois votre bonne humeur d'aujourd'hui, votre résilience et votre chance de vivre demain ce que vous avez imaginé.

L'anticipation selon Woody Allen

« Dans cent ans, qu'aimeriez-vous que l'on dise de vous ?
– J'aimerais que l'on dise : il est bien pour son âge. »
« L'éternité c'est long... surtout vers la fin. »

Pour commencer à travailler votre anticipation positive et votre production d'images, choisissez le thème qui vous correspond le mieux entre le travail, les vacances, l'amour ou l'amitié. La séquence que vous allez visualiser doit être colorée, vivante. Vous y tiendrez un rôle important et sympathique. En vous imaginant en vacances, courant sur une plage au soleil, vous allez vous surprendre. Très vite, vous y êtes vraiment. Vous transpirez et arrivez à entendre la mer au milieu de votre salon.

Un coin de soleil en hiver

L'abstraction sélective positive est un outil bien utile surtout par temps de blizzard. Elle va contre notre tendance naturelle à ne voir que ce qui nous gêne ou nous menace. Nous pratiquons spontanément l'abstraction sélective négative qui nous fait nous arrêter sur les catastrophes, les échecs, les menaces. C'est elle qui nous pousse à pester contre le froid de l'hiver et, quelques mois plus tard, contre la canicule.

L'abstraction sélective optimiste, en revanche, consiste à repérer l'aspect le plus agréable ou attachant d'une personne, d'une situation. C'est une pratique qui s'acquiert avec de l'entraînement. Vous pouvez commencer avec un ami dont vous allez activement chercher les qualités au lieu de ressasser ses défauts. N'hésitez pas à appliquer l'abstraction sélective à un repas, à un spectacle ou à une réunion de famille. Au début vous allez vous faire violence. Après quelques essais, vous trouverez facilement un petit rayon de soleil, même caché derrière les nuages de l'hiver.

Dessiner un corps nu
pour se trouver plus beau

Le dessin n'est pas seulement une activité artistique. Ce peut être un vrai traitement de la bonne humeur. Quand vous dessinez, vous vous concentrez sur l'instant présent, vous faites travailler les neurones contrôlant la vision, l'intégration des images et le mouvement des doigts. Votre activité est à la fois complète et complexe. Le moindre petit dessin a des effets sur l'humeur. Quand vous gribouillez pour passer le temps ou supporter l'ennui, vous vous servez sans vous en rendre compte de l'action antidéprime de l'art. Vous pouvez aller encore plus loin dans l'utilisation des pouvoirs du dessin sur l'émotion. Si votre dessin reproduit l'image d'un corps et qui en plus est nu, votre expérience sera davantage chargée en émotions. Vous regardez des formes physiques qui vous troublent ou vous ressemblent, vous les intégrez dans votre cerveau et les transcrivez sur un papier. Ce rapprochement du dessin et du corps réalise un travail dit de reconnaissance corporelle. Comme avec le sport ou l'alimentation, le dessin permet de prendre conscience de la réalité du corps en général, et de votre propre corps en particulier. La pratique du dessin est particulièrement utile en hiver quand les corps disparaissent sous les pulls et les manteaux.

Depuis plusieurs années, les psychologues de l'enfance proposent aux jeunes qui ont du mal avec leur corps de se dessiner. Après quelques séances de dessin, les jeunes ne se trouvent plus trop gros, ni trop maigres, ni trop laids ou pas assez musclés. Ils ont fait la paix avec leur apparence physique. Les art-thérapeutes anglais viennent d'ouvrir une école de bonne humeur par le dessin. Pendant une heure, les participants dessinent les formes d'un modèle nu. L'effet sur l'humeur et sur l'acceptation de leur corps est impressionnant, ils se sentent mieux dès le premier cours. S'ils vont dessiner toutes les semaines, ils apaisent durablement la relation à leur *look*.

Le cours de dessin d'après modèle peut être une thérapie de groupe. Récemment, 75 femmes et 63 hommes anglais ont suivi des cours de dessin avec comme objectif de retrouver leur bonne humeur et de faire la paix avec leur corps. Les leçons se sont révélées utiles : les hommes rêvaient moins d'un corps excessivement musclé, ou d'être des athlètes parfaits, et les femmes étaient moins en quête d'une minceur extrême. Les uns et les autres se sentaient plus en sécurité avec leur aspect physique. Leur niveau d'autotolérance avait augmenté.

Ainsi le dessin agit sur la santé. En apprenant à regarder un corps autre que le vôtre et à le reproduire sur un papier, vous repérez ses imperfections et tolérez mieux les vôtres. En dessinant une silhouette avec ses défauts, vous renoncez à votre idéal de beauté corporelle. La confrontation à un corps nu, en dehors de tout contexte sexuel, diminue aussi la gêne et la pudeur. Durant ces séances, les hommes et les femmes réagissent différemment : les femmes observent plus directement le corps des modèles et les dessinent plus en détail. En fin de compte, ces cours de dessin, avec des modèles vivants, agissent comme un contrepoison aux images d'hommes ou de femmes idéales... et retouchées des publicités.

Ces leçons de dessin sont des cours d'« antiperfectionnisme ». Vous vous bloquez moins sur le petit détail qui vous gêne chez vous en regardant et dessinant un corps imparfait qui n'est pas le vôtre. Pour que l'identification à son propre corps se fasse au mieux, il est préférable de dessiner un modèle du même sexe... Sauf si vous tenez absolument à un modèle du sexe opposé.

Même si vous ne vous inscrivez pas à un cours de dessin avec un modèle vivant, vous pouvez vous entraîner à partir d'une photographie, trouvée par exemple sur Internet. L'essentiel est que le corps que vous dessinez soit réel, avec ses qualités et ses défauts. C'est l'image authentique qui fait du bien et permet de se réconcilier avec sa propre image.

Pour votre premier dessin, à vous de décider si vous choisissez :

– un modèle du même sexe ou du sexe opposé,

– un modèle qui vous ressemble ou qui est très différent.

Ensuite, testez ces quatre combinaisons :

– même sexe / sexe opposé,

– modèle ressemblant / modèle différent.

70

Ces jeux avec votre image vous rappelleront que vous continuez à vivre avec un corps, même en hiver, même sous un gros manteau, même quand vous faites moins d'activité physique. Quand on se souvient qu'on a un corps imparfait mais bien réel, on le maltraite moins, on le nourrit mieux.

> **Un peu de Rimbaud pour méditer sur l'hiver**
> L'hiver, nous irons dans un petit wagon rose
> Avec des coussins bleus.
> Nous serons bien. Un nid de baisers fous repose
> Dans chaque coin moelleux.
> « Rêvé pour l'hiver », 1870.

La sensation de sécurité grâce au carnet d'adresses

On a longtemps cru que le cerveau, bien enfermé dans sa boîte crânienne, n'était pas sensible aux contacts sociaux. Les protocoles les plus récents démontrent le contraire. Pour être actif et en bonne santé, notre cerveau a besoin de relations avec des amis et de la famille. Le coup de foudre et la sexualité stimulent les molécules de la bonne humeur. Quand vous rencontrez des amis, vous augmentez votre taux d'ocytocine – l'hormone de la sociabilité. Son pic apparaît chez les animaux au moment où ils se mettent en couple. Chez l'adolescent à la recherche de contacts amicaux et amoureux, l'ocytocine est au maximum.

Les relations sociales sont tellement importantes pour le cerveau que l'on voit les neurones se transformer quand vous rencontrez des amis. Une expérience récente très astucieuse l'a démontré. Elle de..iande à des volontaires d'allumer leur téléphone portable et de lire la liste de leurs contacts. Le simple fait de constater que l'on a des amis ou des connaissances que l'on peut joindre :
– diminue l'adrénaline, l'hormone du stress,
– augmente l'ocytocine,
– augmente le facteur de croissance des neurones.
Cette pratique est tellement bénéfique pour le cerveau que je vous la conseille. Régulièrement, faites la liste de vos amis. Pour que l'expérience soit encore plus agréable posez-vous deux questions :

Qui pourrais-je appeler si j'étais en grande difficulté et que j'aie besoin de lui ou d'elle en urgence ?

Qui pourrait m'aider à faire mes courses, à réparer quelque chose dans ma maison ?

Ainsi, vous mesurez deux paramètres protecteurs : le soutien amical ou familial quotidien et le soutien en situation de crise. Dès que vous identifiez plus de trois personnes qui peuvent vous soutenir, vous éprouvez de la sécurité. Vous passez d'idées vagues, agréables (j'ai beaucoup d'amis et de famille) ou désagréables (je suis tout seul), à une expérience concrète. Si, en parcourant votre carnet d'adresses, vous trouvez beaucoup d'amis et de famille, rien ne vous empêche d'élargir un peu la liste sans dépasser cinq à dix personnes. Au moment où vous prenez conscience que vous êtes vraiment protégé par un soutien quotidien et un soutien de crise, vous vous sentez mieux dans votre corps, dans votre esprit et dans votre cerveau. L'effet « carnet d'adresses » étant encore plus net chez les femmes que chez les hommes.

La recherche et le bon sens médical vont dans le même sens. Un homme seul est toujours en mauvaise compagnie ! Un homme ou une femme en relation avec d'autres est de meilleure humeur qu'un solitaire. Encore faut-il se rappeler régulièrement et concrètement que l'on n'est pas seul.

Un carnet de rire à remplir tous les jours, en toute saison

Le rire est un coup de tonnerre cérébral. Il libère les neuromédiateurs porteurs de bonne humeur. C'est sans doute pour cela que les ateliers du rire sont autant à la mode. Je vous suggère une manière plus personnelle de « travailler » votre rire. Tenez un petit carnet ou fichier de rire. Notez-y ce qui vous amuse le plus. Pour ouvrir votre carnet, voici trois petites phrases d'humoristes du siècle dernier dont je ne me lasse pas, et qui vous feront rire quel que soit le temps.

« Vieux, moi ? Je peux encore faire l'amour deux fois de suite. Une fois l'hiver et une fois l'été. » (Alfred Capus)
« Ce n'est pas parce qu'en hiver on dit "fermez la porte, il fait froid dehors" qu'il fait moins froid dehors quand la porte est fermée. » (Pierre Dac)
« Le plus bel hiver du monde ne peut donner que le froid qu'il a. » (Pierre Dac)

Je vous laisse continuer votre carnet de rire de l'hiver avec des références plus actuelles en espérant qu'elles soient aussi drôles. En le remplissant, vous appliquez un nouveau principe de la bonne humeur. On a longtemps cru que l'on ne riait que si la vie nous donnait des raisons de rire. Les recherches récentes sur le cerveau et la psychologie nous apprennent qu'en s'entraînant à rire nous allons objectivement mieux dans notre tête et notre corps.

Une surprise coupe les fringales

Quand nous nous ennuyons face à un film sans intérêt ou devant une tâche répétitive, nos neurones souffrent. Notre corps aussi. Il perçoit avec plus d'intensité ses petites douleurs. Alors nous essayons de compenser l'ennui en mangeant. En vain. Une étonnante découverte venue de Hollande confirme la toxicité de l'ennui. Des hommes et des femmes ont été installés, un jour de neige ou de pluie, devant un film ennuyeux ou un film d'action. Le film barbant est un documentaire sur un sujet qui ne les intéresse pas et tourne en boucle en se répétant toutes les dix minutes. Le film d'action est une scène dont tous veulent connaître la fin. Quand les spectateurs s'ennuient, ils grignotent plus de chocolat que ceux qui regardent la scène d'action.

Un groupe de psychologues et de cinéphiles hollandais viennent de réitérer l'expérience d'une manière encore plus sophistiquée. Ils ont comparé les effets d'un film triste, d'un film intéressant et d'un film neutre. Le film intéressant racontait la vie d'Éric Kandel, un Prix Nobel de biologie qui a montré comment le cerveau change sous l'influence du mode de vie. Dans le film neutre, le même Éric Kandel jouait au tennis sur un court couvert. Enfin le film triste racontait l'histoire d'une jeune fille malade qui doit subir une greffe de moelle osseuse.

Chacun des « cinéphiles cobayes » pouvait s'administrer des petits chocs électriques quand il s'ennuyait pendant les séances de cinéma. Ils pouvaient maîtriser l'intensité et la fréquence de ces stimulations. Conclusion : les spectateurs du film triste s'envoyaient des chocs électriques deux fois plus intenses et deux fois plus souvent. Les effets de l'ennui sur l'humeur se ressentent donc dès la première heure d'exposition.

Cette expérience donne une belle leçon de vie. Ceux qui se distraient et fuient l'ennui sont dans le vrai. L'hiver, on se protège trop du froid et pas assez de l'ennui. Trouvez des livres nouveaux, des films stimulants, organisez des fêtes. Toutes ces distractions vous débarrasseront de l'envie de vous faire du mal, de vous attrister ou de grignoter des sucres inutiles simplement pour fuir la monotonie.

Riez avec Jules Renard

Ouvrez à n'importe quelle page le *Journal* de Jules Renard, vous trouverez une idée, une pensée qui vous fera rire, sourire ou voir la vie autrement. Jules Renard a combattu sa mélancolie naturelle en faisant rire ses lecteurs.

« L'humoriste, c'est un homme de bonne mauvaise humeur. »

« C'est l'hiver, les arbres sont en bois. »

« La vieillesse arrive brusquement comme la neige. Un matin au réveil, on s'aperçoit que tout est blanc. »

L'effet coquelicot au musée

Il fait froid ? Il pleut ? Partez donc vous promener au musée. La peinture est une source inépuisable d'émotions positives. J'en prescris une consommation régulière comme antidépresseur naturel. Prenons un exemple : comment le peintre Claude Monet transforme-t-il une banale promenade à la campagne en source de stimulations. Le tableau que je vous propose de travailler s'appelle *Les Coquelicots*. Claude Monet l'a peint en 1873 et il est maintenant exposé au musée d'Orsay. Une femme portant un canotier et une ombrelle se promène avec un enfant dans un champ de coquelicots. Vous le trouverez au musée ou à défaut sur Internet.

Pour que le tableau exerce son action positive, il faut lui laisser le temps d'entrer en communication avec vous. C'est une histoire qui se joue à deux. Vous entrez dans le tableau et le tableau entre en vous. En lâchant prise devant la toile, vous vous préparez à apprendre une nouvelle manière de vivre la peinture. Il y a les visiteurs pressés qui « font » le Louvre en deux heures et le Prado ou la National Gallery au pas de course. Ils ne laissent pas opérer sur leur cerveau et leur esprit la magie de la peinture. Ils prennent des photos, chargent la mémoire de leurs appareils mais ne récoltent aucune émotion. Ne soyez plus de ceux-là.

Afin de profiter des effets de la peinture, la première condition est de s'arrêter devant une toile et de s'obliger à y rester entre cinq et dix minutes. Commencez par la toile de Monet. Consacrez-y cinq minutes sans regarder ailleurs. Au début, ce temps va vous paraître terriblement long jusqu'à ce que vous entriez en relation avec le tableau. Si la musique vous aide à vous concentrer, ajoutez un peu d'Erik Satie. J'aime bien ses *Gymnopédies pour piano seul.* Les notes sont une invitation de plus à la rêverie et à la méditation.

Ainsi, vous faites travailler en même temps vos deux hémisphères cérébraux, celui que l'on dit dominant qui réfléchit, et l'hémisphère mineur qui intègre les sensations et les couleurs. Ne laissez pas trop de temps ou de liberté à votre hémisphère majeur qui vous racontera le style des impressionnistes, la vie de Claude Monet. Pour apprécier la peinture, la partie la plus importante de votre cerveau est l'hémisphère mineur, celui qui vous fait marcher vous aussi au milieu des coquelicots, à côté de la dame au canotier.

Vous qui êtes toujours si performant et rapide, vous allez trouver du plaisir à vider votre esprit, à perdre (en apparence) quelques minutes, à apprendre la lenteur. L'exercice de bonne humeur est complètement réussi, si vous oubliez le temps qui passe et que vous vous entendez penser ou rêver. Vous êtes en train de donner la parole à un interlocuteur auquel vous ne faites pas assez confiance : votre voix intérieure ou votre intuition.

Vous allez passer de l'anecdote du tableau à ses couleurs. Commencez par l'histoire. Une femme se

promène avec un enfant. Est-ce une mère et son fils ?
Que vous inspire cette scène ? Avec quels moments
de votre vie résonne-t-elle ? Que vous donne-t-elle
comme envie ? Promenades ou rencontres ? Écoutez
les personnages parler. Que se disent-ils ? Que vous
disent-ils ? De cette manière, vous pratiquez l'association libre en laissant vos pensées s'évader.

Laissez-vous ensuite porter par les couleurs. La
chromothérapie, la médecine des couleurs, n'est
pas encore complètement validée scientifiquement.
Il n'empêche que le mélange du rouge des coquelicots et du vert de l'herbe est plutôt stimulant. Ces
deux couleurs transmettent de l'énergie et incitent à
bouger. Puis continuez votre voyage dans le tableau.

Si vous doutez de l'efficacité de cet exercice,
quelques résultats d'expériences récentes devraient
vous convaincre définitivement de plonger dans le
champ de coquelicots. Les hommes et les femmes
qui, quelques minutes par jour, savent lâcher prise
face à un tableau sont en meilleure santé physique.
Ils protègent leur cœur, font baisser leur adrénaline – l'hormone du stress – et augmentent leur
facteur stimulant la croissance des neurones, le
nerve growth factor. Leur cerveau est en meilleure
forme, plus réactif et performant. Les vaisseaux
ne subissent plus les pics d'adrénaline et le sang
est plus fluide.

Mesurez votre sensibilité à l'hiver

La dépression saisonnière typique est rare voire exceptionnelle. Toutefois, nous sommes nombreux à être plus moroses ou plus fatigués l'hiver. Même si cette tendance n'est pas une maladie, il est utile de la connaître. Avec l'échelle qui suit, vous allez savoir si vous êtes ou non sensible aux effets de l'hiver sur votre bonne humeur. Répondez sans trop réfléchir aux questions qui suivent.

Si vous comparez votre humeur en hiver et en été, comment allez-vous en hiver ?

0	2	4
Pas de changement	Un peu plus triste ou morose	Changement radical

Durée de mon sommeil en hiver

0	2	4
Pas de changement	Je dors un peu plus	Changement radical

Mon niveau d'énergie

0	2	4
Pas de changement	J'ai un peu moins d'énergie	Changement radical

Ma bonne humeur

0	2	4
Pas de changement	Un peu de gaieté	Changement radical

Mon poids

0	2	4
Pas de changement	Je prends un peu de poids	Changement radical

Appétit

0	2	4
Pas de changement	J'ai un peu plus faim	Changement radical

Si votre score de fluctuation saisonnière est supérieur ou égal à 6, votre humeur est plus morose l'hiver. Mais, rien n'est perdu, vous êtes en train d'apprendre à passer un hiver de bonne humeur. Vous aurez simplement à faire un peu plus d'exercices de bonne humeur hivernale pour contrer un peu cette tendance naturelle de vos émotions.

Trouvez votre musique d'hiver antidéprime

Si la musique n'existait pas, la médecine devrait l'inventer. Car c'est l'un des meilleurs traitements naturels de l'âme et du corps, et on sait de mieux en mieux l'utiliser. Une nouvelle spécialité qui rapproche santé et musique a vu le jour : la musicothérapie. Elle nous indique quelles musiques choisir pour aller bien, leur temps d'écoute et dans quelles conditions. Chacun a ses musiques préférées. Vous souvenez-vous de ce que disait le général de Gaulle sur la musique ? « Moi, je connais deux morceaux de musique. Le premier c'est *La Marseillaise*. Le deuxième ce n'est pas *La Marseillaise*. »

Passez l'hiver heureux comme un Amish

La lumière artificielle corrige les effets de l'obscurité ambiante. À condition de se servir de l'électricité, bien sûr. La communauté Amish de Lancaster en Pennsylvanie aux États-Unis n'a pas cette compensation car leur religion leur interdit l'usage du téléphone, de la voiture et des nouvelles technologies. Ils ne se servent que de lampes à gaz ou de bougies. Ils sont donc touchés par la perte de luminosité de l'hiver. Leur comportement fascine les chercheurs qui se demandent comment ils passent l'hiver. Surprise ! Les Amish résistent mieux à l'hiver que les autres. Ils ne sont pas protégés par la lumière électrique mais par leur mode de vie. Ils luttent contre les effets de l'hiver avec une vie communautaire certes renfermée sur elle-même mais intense. Leur foi et leurs nombreuses pratiques les distraient tout autant que la télévision, les ordinateurs ou les néons.

Si vous voulez agir sur votre bonne humeur, il vaut mieux élargir un peu votre catalogue de compositeurs. Les œuvres les plus stimulantes ont été testées dans des services de médecine spécialisés. Elles diminuent le stress et les douleurs. On s'en sert aussi en réanimation pour que le cerveau des jeunes prématurés soit plus rapidement mature. La musique est aussi bénéfique pour le cerveau des adultes. Entre autres bonnes molécules, elle augmente le facteur de croissance neuronale. Ce stimulant du cerveau régénère les neurones et fait apparaître de nouvelles connexions entre les cellules déjà présentes.

Pour celles et ceux qui ont envie de s'entraîner à méditer et ne savent pas par où commencer, la musique est le meilleur entraînement. En vous concentrant quelques minutes sur un morceau, vous vivrez votre première expérience de méditation. Vous allez faire progresser vos capacités de concentration et de rêverie, et apprendre à vivre ce mélange unique de réflexion sur soi et de lâcher-prise.

Pour ma part, la musique est si importante que je peux faire des ordonnances de musique à tous ceux qui me demandent comment entretenir leur bonne humeur. Au début, ils hésitent et s'interrogent sur le sérieux du traitement. Mais, après quelques jours d'écoute de musique, ils en ressentent les premiers effets agréables.

Alors quel morceau choisir ? J'avais suggéré dans mon précédent livre une *Sonate pour deux pianos* de Mozart, *Kochel 448*. Il y a bien d'autres morceaux de Mozart vivifiants pour le moral. Tentez l'aventure avec un air de *Don Giovanni* : *Finch'han dal vino*. Restons avec Mozart et *La Marche turque* sous les doigts de Vladimir Horowitz – un autre antidépresseur naturel. Vous l'écoutez dix à quinze minutes le matin en vous réveillant ou le soir tranquillement dans votre fauteuil. L'effet immédiat est agréable et revigorant. Répétez l'écoute, vous ne vous en lasserez pas, et musclerez encore plus votre bonne humeur.

Avez-vous envie de continuer le voyage musical ? Essayez un disque de jazz qui aura raison de vos derniers accès de blues : *Take five* de Dave Brubeck. Là encore, je vous promets un moment aérien, un concentré de bonne humeur. Et pourquoi ne pas continuer avec Arcangelo Corelli et ses *concerti grossi* ? Un musicien qui se prénomme Archange ne peut qu'inspirer confiance !

Savez-vous quel instrument de musique a le plus d'effets bénéfiques sur la bonne humeur ? La batterie. Les batteurs de jazz nous aident à chasser nos moments de colère et d'énervement. Ils donnent plus de vivacité à nos pensées. En suivant le tempo de la batterie, votre voix intérieure devient plus tonique. Le disque le plus utilisé comme stimulant de la pensée et des émotions est un ancien enregistrement d'Art Blakey et les Jazz Messengers, *Moanin'*.

Quand les cardiologues trouvent des musiques stimulantes pour l'hiver

Les cardiologues ont une technique infaillible pour mesurer les effets de la musique. Ils prescrivent comme des stimulants les morceaux qui augmentent la fréquence du cœur et la tension artérielle. Ces musiques rendent heureux et actif. Pour les personnes stressées, ils trouvent des musiques qui diminuent l'adrénaline, la tension artérielle et la fréquence cardiaque. Avec un groupe de consultants, ils ont testé l'action des principaux genres musicaux sur le cœur et les artères. Voici le résultat :

Rapide et euphorisant (pour chauffer ses émotions et accélérer son cœur)
Corona : *Rhythm of The Night*
Deep Blue Something : *Breakfast at Tiffany*
Depeche Mode : *Just Can't Get Enough*
Kate Nash : *Foundations*

Calme et euphorisant (pour chauffer ses émotions en gardant son cœur au calme)
Dinah Washington : *What a difference a day makes*
The Temptations : *Just My Imagination*
Moriarty : *Jimmy*
Jay Ungar et Molly Mason : *Bound For Another Harvest Home*

> **Incitant à la méditation** (pour ralentir, méditer et profiter de l'instant présent)
> Johannes Brahms. Œuvre chorale. RIAS Kammerchor : *Vergangen ist mir Glück und Heil*
> Sergueï Rachmaninov. *Vêpres* opus 37
> Gabriel Fauré : *Requiem*

Apprenez la lenteur à votre cerveau

Le cerveau fonctionne à deux vitesses – l'une est rapide quand il se trompe et l'autre plus lente quand il analyse bien les situations. Le Prix Nobel d'économie Daniel Kahneman a découvert et décrit ces deux vitesses de la pensée. Les reconnaître va vous aider à passer un bon hiver. Nos accès de colère et de mauvaise humeur se produisent quand nous pensons trop vite et que nous nous trompons par impatience. Nous considérons une situation ou une personne comme dangereuse ou menaçante en nous fiant trop vite à notre première impression. L'hiver est un moment de choix pour apprendre à ralentir sa pensée et son cerveau.

Rien de tel qu'une longue soirée chez soi pour découvrir les pouvoirs de son cerveau lent. C'est celui qui est le moins brillant mais aussi celui qui se trompe le moins. Une fois encore, vous pouvez vous aider d'une musique. Elle module le rythme de vos pensées, de votre voix intérieure et sans doute même de votre cerveau. Pourquoi ne pas réécouter *Le Voyage d'hiver*, le plus connu des cycles de *lieder* de Franz Schubert ? Les gros romans russes, de Tolstoï à Dostoïevski, sont eux aussi une invitation à la lenteur. Faites l'expérience. Elle n'a rien de triste.

Quand vous commencerez à accepter de réfléchir plus lentement, vous pourrez appliquer ce *nouveau* rythme à votre vie quotidienne. Vous allez changer d'avis sur les plus petits agacements en famille ou au travail. Ils n'ont rien de grave et ce ne sont pas de vrais soucis. C'est peut-être entre un thé, un gros roman et un *lied* de Schubert que vous connaîtrez votre première expérience hivernale de ralentissement de votre pensée et de votre cerveau.

Un réveil trente minutes plus tôt pour mieux passer l'hiver

En observant votre rythme de vie « spontané », vous pouvez savoir si vous êtes plutôt du soir ou du matin.

Si vous êtes matinal(e), vous êtes plus en forme, plus créatif(ve) et plus actif(ve) le matin. Vous aimez bien vous coucher tôt et commencer à travailler tôt. Les hommes et les femmes du soir préfèrent se coucher tard et se lever tard. Ce caractère du soir et du matin s'explique par l'habitude, la culture et par les cycles d'une hormone qui régule l'éveil et le sommeil : la mélatonine. D'ordinaire, les enfants sont du matin et les adolescents du soir. On se plaint volontiers des enfants qui vous réveillent à l'aube et des jeunes adultes qui vous inquiètent quand ils ne rentrent qu'au milieu de la nuit. Avec l'âge, on redevient généralement matinal.

La différence entre les personnes du soir et celles du matin est surtout marquante l'hiver. Il vient d'être démontré que les hommes et femmes qui veillent tard le soir sont plus sensibles aux coups de déprime de l'hiver. Ils résistent moins bien à la baisse de la lumière et au raccourcissement des jours.

Pour rester de bonne humeur, le mieux est de renforcer sa tendance matinale. Dès le début de l'hiver, entraînez-vous à vous coucher plus tôt. En diminuant les soirs où vous veillez tard, vous allez mieux résister aux jours les plus sombres de l'hiver. Vous recalez ainsi le cycle de votre mélatonine pour la rendre plus adaptée au rythme de l'hiver. Si se réveiller tôt bouscule vraiment trop vos habitudes et votre nature, procédez très progressivement en avançant chaque semaine de dix minutes l'heure de votre lever que vous compenserez par dix minutes de sommeil en plus le soir. Quand vous aurez réussi sans effort à vous lever trente minutes plus tôt, vous éprouverez l'énergie du matin. Et vous pourrez imaginer les folles nuits blanches et les grasses matinées que vous vous offrirez à l'approche de l'été.

Le sommeil et la santé selon Woody Allen
« Il me semble que le monde est divisé vraiment entre les bons et les méchants. Les bons dorment mieux… mais les méchants profitent plus de leurs heures de veille. »

Une préparation au printemps : le toucher affectif

Il est possible de stimuler son corps en hiver, en toute douceur, sans le brusquer. Une des techniques les plus délicates nous vient d'Angleterre. Elle s'appelle le toucher affectif. Vous pouvez la pratiquer seul ou avec un(e) ami(e). Vous avez besoin d'un avant-bras et d'un *blush* ou d'un pinceau à maquillage. Placez pendant trois secondes votre *blush* sur la face interne de votre avant-bras. Vous ne devez pas regarder le plumeau pour éviter les interférences visuelles. Au bout de trois secondes, vous déplacez le plumeau et vous le reposez à un autre endroit pour un nouveau contact. De contact en contact, allez de plus en plus doucement. La pression doit s'alléger progressivement.

Cette expérience en apparence banale n'est pas si simple. Les jeunes femmes anglaises en pleine déprime ne la supportent pas. Pourtant, le toucher affectif fait du bien. Il réveille les émotions et diminue la peur du plaisir. Il pourrait stimuler aussi la dopamine, la molécule de l'énergie et de l'action.

VOTRE JOURNÉE
DE BONNE HUMEUR EN HIVER

Matin
Se lever trente minutes plus tôt pour mettre à l'heure
son horloge biologique
Regarder la météo et sortir quand même pour mobi-
liser son corps et ses émotions
Marcher six minutes dans le froid
Boire un thé pour les omégas 3 et la sérotonine

Midi
Choisir un plat de poisson avec des maquereaux ou
des sardines à l'huile pour la vitamine D
Varier ses repas et ses activités pour avoir moins faim

Après-midi
Passer au moins une heure en pleine lumière artificielle ou naturelle
Prévoir une semaine de vacances d'hiver actives et
sans pollution au ski ou ailleurs

Finir sa journée par un cours de dessin
Écrire une phrase drôle dans son carnet de rire
Se réserver une heure pour méditer au musée. Éviter
les siestes, qui désorganisent le rythme du sommeil

Soirée
Rêver au printemps à venir
Faire son pain pour se détendre
Ajouter un cornichon à son dîner habituel
Feuilleter un gros roman ou son carnet d'adresses
Écouter *Don Giovanni* de Mozart ou *Take Five* de
Dave Brubeck
Oser le toucher affectif

UN PRINTEMPS
DE BONNE HUMEUR

« C'est en croyant aux roses
qu'on les fait éclore. »

Anatole France

Vous pourriez penser à fermer ce livre au printemps. Qui a besoin en cette saison de conseils pour être en forme ? Tout pousse à l'enthousiasme, à l'énergie. Reprenons la phrase d'Alain, le philosophe du bonheur : « Le pessimisme est de nature et l'optimisme de combat. » Au printemps, le pessimisme est moins de nature. En mai, faites ce qu'il vous plaît. Les vacances approchent et vous voudriez rester dans la morosité ? Pourtant, tout le monde ne saute pas de joie au retour des beaux jours. Je m'en rends compte à travers mes consultations. Ceux qui sont moroses au printemps sont encore plus incompris. Vous avez le droit de ne pas être comme tout le monde et de broyer du noir en juin. Vous n'avez rien à vous reprocher si le soleil et la chaleur vous rendent d'humeur maussade. De même, si les bourgeons qui fleurissent ne vous donnent pas envie de sortir ou de vous amuser. La bonne humeur n'est pas un état d'esprit que l'on s'impose. Ce n'est pas une émotion collective, naturelle ou obligatoire. Chacun a sa manière de vivre le printemps. Il est inutile de se répéter que le printemps est naturellement gai. Mieux vaut trouver des expériences de gaieté qui pourront se vivre au printemps.

UN CORPS
EN PLEINE FORME

Une assiette rouge pour sauver votre ligne

Au printemps, vous commencez à regarder différemment votre alimentation. Vous ne vous rationnez pas mais vous êtes un peu plus vigilant sur les calories. L'été n'est plus si loin et vous pensez déjà à votre silhouette et à vos tenues légères. Vous n'avez plus le prétexte du froid pour vous offrir des plats bien riches. Vous préféreriez privilégier les fruits et les salades. Mais ce n'est pas facile de résister à la *junk food*, ces petites drogues sucrées ou grasses tellement toxiques et a priori si agréables. Elles font plaisir et donnent envie, quand on y goûte, de continuer à en manger. Rien ne leur résiste sauf une technique moderne et originale de déconditionnement du cerveau.

Un trio d'experts – deux psychologues et un économiste belge, allemand et suisse – vient de trouver une parade particulièrement utile contre les aliments qui rendent fou. Ils se sont aperçus que la couleur rouge calme les envies exagérées de calories. Celle-ci agirait sur nos émotions, nos comportements et notre cerveau comme un message d'interdiction. Sans le vouloir et sans effort, nous nous modérons quand nous voyons du rouge. Depuis l'enfance, nous avons intégré que le message rouge veut dire « interdit » ou « stop ». Notre cerveau le sait et applique la consigne sans réfléchir quand il s'arrête au feu rouge. L'explication la plus convaincante de l'effet du rouge est que nous sommes programmés pour avoir peur du rouge et être vigilants devant cette couleur. Les panneaux de stop sont rouges, ainsi que les alarmes et les drapeaux sur les plages annonçant l'interdiction de la baignade. Nous avons appris à nous méfier des petits fruits qui poussent sur les arbres sauvages – ils sont rouges et rendent malades. D'autres souvenirs associent le rouge à la punition. De même qu'un devoir d'école trop couvert de rouge était sans doute mauvais !

Il y a une manière scientifique d'appliquer le rouge à la protection de la santé. Si vous mettez des bonbons, des chocolats ou des chips dans une assiette rouge, vous allez moins en manger. Vous êtes influencé inconsciemment par le signal qu'envoie à votre cerveau la couleur de l'assiette. Face au rouge, vous vous mettez en alerte et vous mobilisez ce qu'il y a en vous de plus raisonnable. Gardez votre assiette rouge et placez-y en même temps de la *junk food* et des aliments sains. Grâce à l'impact de la couleur sur le cerveau et les émotions, nous sommes plus tentés de choisir des fruits que des chips s'ils sont servis dans une assiette rouge. Les experts du comportement alimentaire ont essayé avec d'autres couleurs. Elles n'ont pas le même effet. Les fringales ne sont pas calmées par une assiette blanche ou bleue. Cette action de la couleur rouge est encore plus nette chez les femmes que chez les hommes. Si j'osais, je vous dirais bien que le rouge muscle votre surmoi et votre respect des principes de santé.

L'histoire vous paraît trop simple pour être vraie ? Pourtant, la technique de l'assiette colorée est redoutablement efficace. Il suffit parfois de changer ses assiettes ou ses bols pour être moins perturbé par les aliments qui nous font perdre le contrôle de nous-même. J'imagine l'usage que les plus gourmands vont faire de cette découverte... Ils pourraient se préparer tout un service rouge pour y manger les chips ou les aliments qui leur font perdre la tête. En choisissant cette couleur, vous changez votre regard sur ce que vous mangez. Vous passez de la fringale à une consommation contrôlée. Sans vous priver, vous vous faites plaisir tranquillement. Vous vous libérez ainsi de l'emprise des aliments « drogues » qui vous font du mal. Faites l'expérience avec des frites ou du chocolat. Vous allez arriver à en manger une petite portion sans être obligé de finir l'assiette.

Si l'on pousse un peu plus loin cette expérience, je vous laisse imaginer d'autres applications de cette couleur « modératrice » du cerveau et des pertes de contrôle. Pourquoi ne pas utiliser des verres rouges pour réguler votre envie de boire des sodas sucrés en excès et peut-être même de l'alcool ?

J'imagine l'usage que les fabricants de vaisselle pourraient faire de ce traitement par la couleur. Lanceront-ils un jour des bols à apéritif raisonnables et rouges, des assiettes rouges pour boulimiques et des verres rouges pour les buveurs excessifs... de vin ? Et comment réagirait l'assurance maladie si on lui demandait de rembourser de la vaisselle-médicament ?

Le printemps, la bonne humeur et Jacques Brel

Il n'y a pas plus gai et plus printanier qu'un chanteur triste qui reprend espoir.

Au printemps au printemps
Et mon cœur et ton cœur
Sont repeints au vin blanc
Au printemps
Les amants vont prier
Notre-Dame du bon temps
Au printemps,
Pour une fleur, un sourire, un serment
Pour l'ombre d'un regard en riant

Une moitié d'assiette avec des fruits et des légumes frais

Au printemps, les rayons de votre épicerie se chargent de nouveaux produits. N'hésitez plus. En choisissant ces légumes frais, vous vous faites du bien. En outre, vous soutenez les agriculteurs et producteurs qui vous proposent le résultat de leurs efforts. Pour savoir si vous mangez assez de crudités et de fruits, regardez votre assiette. La moitié doit être occupée par des fruits et des légumes. Si c'est le cas, votre régime de printemps est parfait – il contribue à votre bonne humeur et votre bonne santé. Sinon, cherchez quoi retirer pour laisser place à une demi-assiette de crudités.

L'idée de la demi-assiette de crudités et de fruits vient de la Maison-Blanche aux États-Unis qui a lancé en 2010 l'opération « Myplate » ou « Je regarde mon assiette ». Devant l'épidémie d'obésité, les autorités de santé américaines ont déclaré la guerre au syndrome du hamburger frites. Ceux qui ont remplacé leurs frites par une demi-assiette de crudités et de fruits ont sans nul doute amélioré leur santé et leur bonne humeur.

Non seulement les fruits et les légumes vous donnent plus d'énergie que des aliments trop riches ou indigestes, mais en y goûtant vous vivrez vraiment le renouveau du printemps. En plus, vous sortirez de table sans avoir faim. Car les crudités rassasient davantage que les aliments sucrés ou les plats trop gras. Les protéines diminuent elles aussi la faim, mais les Américains, comme les Européens, en mangent déjà beaucoup, voire trop.

Par quel mécanisme secret une demi-assiette de légumes et de fruits vous fait-elle du bien ? Ces aliments frais dilatent votre estomac et vous enlèvent l'impression de faim. Les fibres qu'ils apportent font travailler votre intestin, en nourrissant votre microbiote ou flore intestinale. Et si vous prenez soin de votre intestin, il vous le rendra bien. La flore intestinale fabriquera pour vous la principale hormone de la bonne humeur, la sérotonine, qui va remonter vers le cerveau et vous procurer une sensation de bien-être.

Plus les fruits et surtout les légumes sont crus, sans conservateur, sans préparation, plus ils vous sont bénéfiques. Les seuls fruits qui ne rassasient pas sont les fruits en jus. Un jus de fruits vous apporte beaucoup de sucre d'un coup et vous fait presque autant tourner la tête qu'un hamburger. Quand vous avez commencé à en boire, vous n'avez qu'une envie, c'est de continuer. Les bananes sont, comme les jus, très denses en calories. Vous pouvez les remplacer par des fruits de printemps. Pour une bonne assiette de printemps, il est aussi conseillé de diminuer les féculents, comme le riz, les pâtes et les pommes de terre.

Plusieurs milliers d'Américains ont relevé le défi de la demi-assiette de fruits et de légumes. Ils n'ont eu qu'à s'en féliciter. Ils se sont tous sentis en meilleure forme, avec plus d'énergie et plus d'entrain. Les adeptes de la demi-assiette ont perdu du poids (moins 30 % de poids en une saison de changement de régime) et gagné en bonne humeur. Comme ils étaient plus actifs, ils étaient aussi tentés de faire plus d'exercice physique. Et l'exercice a encore renforcé leur bonne humeur.

Chauffer ses zygomatiques
avec Michel Audiard

Michel Audiard est une drogue douce dont on a toujours besoin. J'en consomme sans modération. En voici quelques exemples pour le pur plaisir de faire travailler ses zygomatiques. N'hésitez pas à enrichir votre carnet de rire...

« On n'emmène pas de saucisses quand on va à Francfort. »

« Conduire dans Paris, c'est une question de vocabulaire. »

« Quand on parle pognon, à partir d'un certain chiffre, tout le monde écoute. »

« Dans la vie il y a deux expédients à n'utiliser qu'en dernière instance : le cyanure ou la loyauté. »

« Le bonheur on s'y fait, le malheur on ne s'y fait pas, c'est ça la différence. »

Comment les Italiens ont appris
à aimer les légumes

Quand, au printemps, vous rentrez le ventre et levez les épaules pour avoir l'air sportif, vous commencez à l'être vraiment ; vous préparez votre silhouette aux regards de l'été. Quand vous vous croyez drôle ou même séduisant, vous êtes sur le point de le devenir. Car nous finissons par être ce que nous pensons être. Cette observation permet de nouvelles compréhensions du comportement et surtout des changements faciles. Vous pouvez reconnaître et si besoin modifier l'image que vous avez de vous-même. Quelques petites améliorations de votre image personnelle auront de grands effets. Retoucher l'image que l'on a de soi est plus utile qu'un lifting.

En pratiquant seul ce qu'une école italienne de psychologie appelle le *lifting de l'image de soi*, vous ferez du bien à votre corps et votre esprit. Les psychologues napolitains sont des pionniers du lifting de l'esprit. Ils ont mis au point une théorie de la modulation du comportement simple et efficace. Rien ne sert de se forcer ou d'aller contre sa nature. Les grands choix, les engagements, les promesses à soi-même ou à sa famille, tout cela est inutile ou presque. On ne fait rien contre ce que l'on croit être ses valeurs de base. Mieux vaut travailler l'image que l'on a de soi et le reste suivra. Nous nous sentons bien quand nous sommes en phase avec ce que nous croyons être notre nature profonde. Nous testons en permanence l'harmonie entre ce que nous avons choisi comme but dans la vie et ce que nous faisons au quotidien. Quand les deux s'accordent, nous sommes de bonne humeur.

Les *lifteurs* napolitains ont trouvé une application bien printanière à leur technique. Ils s'en sont servis pour que les Italiens mangent davantage de fruits et de légumes. Leur constat de départ est que seulement 18 % des Italiens mangent quatre fruits et légumes par jour. Les Italiens du Sud en mangent encore moins (14 % au Sud contre 21 % au Nord). Si les Italiens mangent moins de fruits et de légumes qu'il n'en faut, même s'ils savent qu'ils protègent le corps et l'esprit, c'est avant tout une question d'image. Ils se voient comme des amateurs de plats, typiquement italiens, qui ne laissent pas assez de place aux aliments frais. Les pâtes et les glaces sont pour eux des aliments plus en accord avec leur image.

La bonne nouvelle c'est que chacun peut réaliser sur lui-même un lifting de l'esprit et changer ses goûts alimentaires en modifiant son image. Pour que les Italiens remplacent les pâtes et les glaces par des légumes, il faut qu'ils apprennent à se voir comme des êtres actifs sur leur santé qui privilégient ce qui leur fait du bien... quitte à renoncer à quelques traditions régionales ou nationales.

L'expérience ne se limite pas à l'Italie. En général, nous mangeons peu de ce qui est bien pour nous, beaucoup de ce qui nous fait envie et trop de ce qui est toxique pour nous. Mais ce que nous mangeons le plus est ce que nous considérons comme un aliment « fait pour nous », en phase avec nos goûts, notre culture et notre identité. Ceux qui se vivent comme des dévoreurs de viande en prennent plusieurs fois par semaine. Ils trouvent que la viande leur donne de l'énergie. Ceux qui se trouvent une nature végétarienne ressentent le même plaisir à manger des fruits et des légumes. Que ce soit pour le choix des aliments ou la quantité, nous avons davantage besoin de combler notre image de nous-même que notre estomac.

En consultation, j'utilise cette idée de lifting ou de changement d'identité. Un fumeur est quelqu'un qui se voit comme un tabagique par nature et qui ne s'imagine pas sans une cigarette à la main. Il ne peut pas avoir de lui une représentation sans tabac. Quand il commence à se voir comme un non-fumeur, le sevrage n'est plus très loin. Au début, il se fâche. Puis il s'étonne : « Moi, vraiment un non-fumeur ? » Et enfin il se laisse convaincre.

Pour l'alimentation, l'effet du lifting de l'image de soi est encore plus net. Vous vous voyez comme un gros mangeur, un petit mangeur, un dévoreur de sucres, de graisses ou alors un amateur de légumes. Et vous adaptez votre assiette à votre image. Ceux qui ont d'eux-mêmes l'image d'une personne « saine et concernée par sa santé » ont deux fois plus de chances de manger les cinq fruits et légumes par jour recommandés. L'image de soi agit aussi sur la manière dont on vous traite. Votre famille et vos amis vous voient comme un « mangeur » de verdure ? Lorsqu'ils vous invitent, ils s'adaptent à l'image que vous leur avez donnée. C'est la même chose pour l'alcool et le tabac. Dès que vous changez votre image, on vous traite différemment et on vous encourage.

Une fois que vous aurez commencé à agir sur un des aspects de votre identité, vous aurez peut-être envie de continuer. Pourquoi ne pas vous construire l'image d'un homme ou d'une femme plus souriant, plus actif physiquement, plus séduisant même ?

Comment changer cette image de soi qui est si importante ? Comment réussir sans effort à manger plus de légumes et à moins boire d'alcool ? Les psychologues qui ont démontré l'importance de l'image de soi proposent des techniques de *lifting de l'esprit* à conduire soi-même – car on apprend à vivre avec une nouvelle image comme on apprend à nager ou à pratiquer un sport. Tout commence par un peu de réflexion sur soi en répondant à trois questions :

D'où vient l'image que j'ai de moi-même aujourd'hui ?

Est-ce une expérience de mon enfance ou l'exemple d'un parent qui mangeait beaucoup ou trop peu ?

À qui ai-je envie de ressembler par ma manière de manger ou dans tout autre comportement ?

De qui ai-je besoin ou envie de m'écarter ?

Comment mon image s'installe-t-elle dans la durée ?

Suis-je sensible à la publicité ?

Ai-je peur de changer en me disant que si je mange moins ou différemment, je serai fatigué(e) ou malade ?

De quoi ai-je peur si je change mon image ?

Comment faire des expériences de changement d'image ?

De manière magique ou superstitieuse, nous sommes convaincus qu'un changement d'image et de comportement est impossible. L'objectif est de trouver le plus petit changement, même pour une journée, qui ne va pas nous effrayer et nous convaincra que rien n'est définitif dans nos comportements.

Testez votre relation à la santé et à la nourriture

Je me reconnais comme quelqu'un qui aime manger sainement.

0 ——————————————————————— 10
Pas du tout   Complètement

Je me reconnais comme quelqu'un d'intéressé par le fait de manger sainement.

0 ——————————————————————— 10
Pas du tout   Complètement

Je me reconnais comme quelqu'un qui s'intéresse aux effets de ce qu'il mange sur sa santé.

0 ——————————————————————— 10
Pas du tout   Complètement

Si votre score est supérieur ou égal à 15, vous avez déjà de vous une image d'amateur de nourriture saine.

Si votre score est inférieur à 15, vous pouvez changer un peu votre image pour être en meilleure forme et adopter un comportement plus sain.

Folates de printemps

L'*acide folique* est une vitamine indispensable à la santé du corps et de l'esprit. Les femmes enceintes et les personnes à risque cardiovasculaire en ont particulièrement besoin. Elles en trouvent dans les légumes de printemps, comme les petits pois, le cresson, la mâche, les brocolis et les asperges. Les médecins chinois viennent de s'apercevoir que les folates ou la vitamine B9 sont aussi des protecteurs du cerveau. Un cerveau suffisamment nourri en folates résiste mieux au stress et ses neurones sont mieux irrigués. Si elles subissent un choc, les cellules du cerveau se réparent plus vite quand elles ne manquent pas de folates. Un manque de folates, à l'inverse, augmente le risque de déprime et d'autres troubles psychologiques.

On commence à comprendre pourquoi les folates font tant de bien aux émotions et au cerveau. L'homocystéine est un toxique des neurones que l'on fabrique en permanence. Grâce aux folates, l'*homocystéine* est transformée en une molécule sans danger, la *méthionine*. Si vous manquez de folates, l'homocystéine s'accumule dans le cerveau et fait souffrir les neurones. Les folates font aussi fabriquer un antidépresseur naturel, la S-Adénosyl méthionine

ou SAM. Enfin, les folates agissent sur une zone profonde du cerveau qui contrôle les émotions : l'hippocampe. Quand vous prenez assez de folates, les cellules de votre hippocampe se régénèrent et vous font mieux ressentir les émotions positives. Quels sont les aliments riches en folates :
– Les légumes à feuilles (salade, épinards, endives)
– Le maïs
– Le melon
– Les lentilles
– Les pois chiches.

Profitez du printemps pour devenir néophile

La capacité à tolérer et même à aimer le changement est une grande qualité. Les néophiles vont mieux que les néophobes qui ont peur de toute nouveauté. Cette aptitude au changement est tellement importante que l'on met au point des techniques pour cultiver sa néophilie. Les petits changements du printemps, dans le ciel, dans vos vêtements et dans votre assiette sont des occasions à ne pas laisser passer. Ils vont donner un nouveau souffle à votre vie quotidienne et à votre cerveau. L'un des domaines dans lesquels la néophilie s'exerce le plus facilement est l'alimentation. Les fruits et les légumes nouveaux arrivent. Testez-les !

Deux psychologues américains viennent de démontrer de manière définitive les bénéfices de la néophilie. Ils présentent, à des volontaires qui veulent mieux se connaître, des aliments quotidiens ou banals et des plats exceptionnels. Ils leur montrent ensuite des paysages familiers et d'autres qu'ils n'ont pas l'habitude de voir. Chaque fois, ils leur demandent s'ils préfèrent les expériences connues aux nouvelles.

En additionnant leurs réponses, ils calculent un score de néophobie ou de néophilie. Tant pis pour les routiniers ! Les néophobes sont plus anxieux que les néophiles. Ils sécrètent plus d'adrénaline, l'hormone du stress. Quand une image ou une situation leur semble inhabituelle, leur rythme cardiaque s'accélère, ils respirent plus fort et augmentent leur tension artérielle. Chaque imprévu déclenche chez eux une poussée d'angoisse qui met en danger leurs artères. Les néophiles sont moins stressés. Leur tension et leur rythme cardiaque sont plus tranquilles et plus stables même devant une situation imprévue.

Les néophiles ont bien d'autres avantages dans la vie :

– Ils résistent mieux aux accidents et agressions et souffrent moins de stress post-traumatique ;

– Ils contrôlent mieux leur poids et pèsent en moyenne 6,3 kg de moins que les néophobes ;

– Ils transmettent à leurs enfants le goût de la nouveauté. Le taux d'héritabilité de la néophilie est de 60 %.

Si vous êtes néophobe, rien n'est perdu. Le printemps va vous offrir l'occasion d'améliorer votre ouverture à la nouveauté. La néophilie alimentaire est ce qui se travaille le plus facilement. Cherchez un légume ou un fruit que vous ne connaissez pas encore, ou un restaurant d'un style inédit pour vous. Essayez-le. En vous exposant à cette nouveauté, tranquillement, dans une ambiance festive, vous diminuez votre peur de l'inconnu. En vous faisant plaisir et en vous surprenant au printemps, vous trouvez une manière scientifiquement validée de protéger santé et bonne humeur.

La salade et la courgette comme antidépresseurs naturels

Vous cherchez un traitement à la fois antidépresseur naturel, anti-inflammatoire et antioxydant ? Il est à votre portée. Les rayons de votre épicerie sont de vraies pharmacies naturelles. La salade et la courgette sont encore plus riches que les autres en antioxydants et en protecteurs de la bonne humeur. Des experts chinois viennent de prouver l'effet antidépresseur des légumes du printemps. Après une étude démontrant que les hommes et les femmes de bonne humeur mangent deux fois plus de légumes que les autres, ils ont compilé les dossiers de plus de 200 000 personnes qui ont mis en lumière une hypothèse étonnante. La sensation de déprime viendrait d'une inflammation du cerveau. Comme les articulations qui s'enraidissent et s'enflamment, le cerveau pourrait lui aussi souffrir du manque de légumes.

Au printemps, donc, offrez-vous des cures de vitamines, celles-ci remontent vers le cerveau et diminuent son risque d'inflammation. Elles le rendent plus vivant, plus actif, plus dynamique. Fruits et légumes apportent à votre bonne humeur tout ce dont elle a besoin : du magnésium, du zinc, du sélénium, de la vitamine B12, de la vitamine C et de la vitamine E. Si vous consommez des légumes comme de la salade ou des courgettes tous les jours, vous diminuerez de 20 % votre risque de déprime. L'effet protecteur est le même avec les fruits.

Le sport du printemps

L'appel du soleil et de la nature est une invitation à laquelle vous avez envie de répondre. Tant mieux si le printemps donne un coup de pouce à votre motivation. À tout âge l'exercice physique fera du bien, à vos muscles d'abord, puis à votre cerveau et à votre esprit. Un professeur de droit australien a proposé à ses étudiants une heure d'activité physique gratuite au printemps sur le campus de la faculté. Il a mesuré les effets sur la forme physique et les émotions de ses juristes en herbe. Tous ont apprécié l'expérience. Les étudiants profitant de cette heure d'activité physique hebdomadaire se sentaient de meilleure humeur et plus solides. Ils se plaignaient moins de tension intellectuelle et de douleurs musculaires. Ils résistaient mieux à la compétition entre étudiants et aux difficultés propres à leur discipline – longs débats et textes de droit à apprendre par cœur.

L'activité physique est donc idéale pour entretenir sa bonne humeur. Il ne faut pas hésiter à la pratiquer à deux ou en groupe car les bénéfices s'additionnent. Vous mobilisez votre corps et vous profitez en même temps d'interactions sociales stimulantes. En outre, la présence d'un partenaire vous encourage. Vous serez moins tenté d'abandonner vos rendez-vous sportifs si vous y allez à deux. La durée minimale d'exercice pour « se décrasser » l'esprit et le corps est de vingt minutes par semaine. Avec une heure hebdomadaire, l'action sur le bien-être est meilleure.

La dernière qualité du bon exercice physique est d'être choisi. Si vous décidez de votre propre sport, de ses conditions et de sa durée, vous augmentez votre estime de vous-même et votre sentiment d'autonomie. Vous en retirez la preuve que vous pouvez agir personnellement sur votre santé et que vous savez faire seul les bons choix. Un entraîneur et un coach peuvent être utiles au début pour vous donner le rythme. Mais, pour rester motivé, il ne faut pas seulement appliquer leurs consignes de manière passive. Prenez donc votre bonne humeur en main en choisissant quel exercice va agir sur elle !

L'activité physique est encore plus bénéfique chez les intellectuels, étudiants ou non. Elle les rend plus résistants aux pressions extérieures – comme le besoin de faire carrière, l'ambition ou la compétition –, elle calme aussi leur perfectionnisme, leur peur de l'échec et leur besoin de travailler en permanence. Les hommes et les femmes actifs physiquement font trois fois moins de déprime que les inactifs. À chaque séquence d'effort physique, c'est toute la machine à antidépresseurs naturels qui se met en action. Le cerveau est mieux irrigué et les vaisseaux sont protégés. Le mouvement fait aussi produire des morphines cérébrales et de la sérotonine. En même temps, l'adrénaline du stress diminue.

Un café aphrodisiaque en terrasse

Vous connaissez déjà l'effet que les petits cafés ont sur la bonne humeur en hiver. Ils réchauffent les doigts et les émotions. Deux universitaires américaines ont trouvé d'autres effets, encore plus surprenants, du café.

Chez l'animal, et en particulier chez les femelles, il agit comme un puissant stimulant de la sexualité. Il augmente l'envie de flirter et de se rapprocher d'un partenaire. Il fait flamber le désir sexuel et le temps passé à l'activité sexuelle. Les animaux qui prennent du café ont davantage de contacts sexuels, plus intenses et plus agréables. De telles études n'ont pas encore été conduites chez des hommes ou des femmes, mais ces résultats permettent d'imaginer ce que peut vous apporter un café au printemps...

Les statines contre la déprime

Les statines sont des médicaments utilisés pour faire diminuer le taux de cholestérol dans le sang. Ils sont prescrits à celles et ceux chez qui un régime pauvre en graisse ne suffit pas à faire baisser le cholestérol. Un nouvel effet de ces médicaments a été découvert : ils augmentent la bonne humeur et préviennent la déprime.

Comment un produit qui diminue le cholestérol peut-il augmenter la bonne humeur ? L'énigme commence à trouver sa solution. Les statines augmentent le tryptophane, un acide aminé indispensable à l'organisme pour fabriquer la sérotonine, l'hormone de la bonne humeur. Les statines diminuent aussi l'inflammation, ce qui pourrait mettre le cerveau en meilleure forme et calmer le blues. Enfin, les statines permettent une meilleure oxygénation du cerveau. Les neurones, mieux irrigués, sont ainsi plus connectés et plus actifs.

Toutes les molécules de statines n'ont pas la même action sur le moral. Les plus stimulantes sont celles qui passent dans le cerveau comme la vastatine et la simvastatine. Mais ce n'est pas parce que les statines diminuent la déprime qu'il faut en prendre de manière sauvage. Ces médicaments ont aussi des effets indésirables. L'utilisation de statines contre la déprime n'étant pas validée par les autorités sanitaires, elle est déconseillée. Les bénéfices possibles de ce médicament sont bien moindres que les risques auxquels il expose.

L'action des molécules de statines sur l'humeur rappelle qu'il est important de surveiller son taux de cholestérol. On savait qu'un taux de cholestérol trop élevé était mauvais pour le cœur et les vaisseaux. On sait maintenant que, en contrôlant son cholestérol, on protège à la fois sa bonne santé physique et sa bonne humeur. Les aliments de printemps, les fruits, les légumes sont une occasion unique de diminuer les apports en graisses et de faire baisser votre cholestérol. Vous serez doublement gagnant pour le cœur et le moral. Attention tout de même à ne pas vous affamer et à ne pas chasser toutes les graisses de votre table. Les personnes qui ont un taux de cholestérol anormalement bas (inférieur de 30 % environ aux normes du laboratoire) ont aussi un risque augmenté de déprime.

Le soleil printanier du matin contre les fringales nocturnes

Votre horloge biologique vous programme pour avoir faim trois fois par jour. Quand elle avance ou recule, vous avez faim la nuit. Les plus grands affamés mangent la nuit, tout seuls en cachette, un quart des calories de leur journée. Au milieu de la nuit, ils ont l'impression que c'est encore le moment du dîner ou du petit déjeuner, et se jettent sur les produits les plus gras et les plus sucrés. Ils cherchent à se rassasier et à faire partir la sensation de manque qui les a sortis du lit pour les conduire vers la cuisine. Depuis peu, un traitement naturel des fringales nocturnes a été découvert. Le soleil du matin calme la faim nocturne et donne de la bonne humeur. Profitez le plus possible des premiers rayons de soleil du printemps. Chaque fois que vous passez trente minutes sous une forte luminosité, vous diminuez vos fringales et vous remettez à l'heure votre horloge biologique.

La lumière est plus bénéfique quand vous la recevez tôt le matin. La lumière artificielle du soir risque de vous énerver et vous empêcher de trouver le sommeil. Elle ne vous resynchronise pas autant. Pour votre cure de lumière printanière, préférez donc le soleil aux ampoules électriques du soir. Si vous ajoutez aux premiers rayons de soleil un peu de marche, vous en multiplierez les effets.

Grâce à cette lumière matinale, vous n'aurez plus besoin de calmer les fausses fringales du soir avec des sucreries. Vous éviterez aussi de prendre de la mélatonine qui est bien moins utile pour le rythme biologique que la clarté naturelle du printemps.

UN ESPRIT
EN PLEINE FORME

Comment rendre un adolescent heureux ?

La bonne humeur d'un adolescent ne doit rien au hasard. Elle est le résultat de pensées et de comportements protecteurs qui l'aident à dépasser les inquiétudes propres à son âge. Les experts en santé australiens viennent de passer en revue les habitudes de vie qui sont les plus bénéfiques pour les adolescents. Ils ont trouvé des facteurs étonnants de déprime et des facteurs de résilience auxquels ils ne s'attendaient pas. Cette étude devrait être utile aux parents qui cherchent des arguments objectifs pour savoir comment se comporter avec leurs adolescents. Qu'est-ce qu'il faut dire ou ne pas dire à un adolescent ? me demande-t-on souvent. Doit-on user ou pas d'autorité ? Faut-il limiter son temps passé sur Internet ? Plus que des interdictions ou des autorisations, vous pouvez et devez proposer des habitudes de vie qui musclent la confiance en soi de vos adolescents.

La principale menace sur la bonne santé et la bonne humeur vient de l'alcool. Les jeunes qui boivent plus de cinq verres d'alcool en une occasion se sentent moins en forme et plus déprimés. L'effet déprimant apparaît dès qu'ils boivent ces cinq verres plus de trois fois par an. Il faut dire qu'au printemps les occasions de boire et de faire la fête ne manquent pas. Si les fêtes sont trop alcoolisées ou trop fréquentes, elles deviendront plus déprimantes qu'agréables. Cependant, interdire toute fête n'est pas non plus une incitation à la bonne humeur. « Nous avons besoin d'ordre pour vivre et d'un peu de désordre pour survivre », nous dit le philosophe Albert Memmi. Au printemps, comme le reste de l'année, suivons cette sage recommandation.

Les régimes contraignants et inutiles exposent eux aussi à la dépression. C'est au printemps que l'on entreprend souvent ces régimes. On prépare l'été, on se demande à quoi on ressemblera devant les amis. Et on exclut progressivement les aliments qui font grossir. Mais un organisme affamé ne peut plus fabriquer ses hormones de la bonne humeur. Un régime qui marche trop bien ou fait maigrir trop vite doit alerter. Il n'a plus rien à voir avec la recherche de bien-être ou de bonne santé. Il peut être le premier signe d'un trouble du comportement alimentaire ou d'une anorexie mentale.

Un dernier facteur de déprime est plus inattendu. C'est le flirt. Les jeunes gens qui ont des relations amoureuses très précoces sont plus exposés aux ruptures et aux aléas de ces relations. Ce n'est évidemment pas parce que la vie sentimentale peut créer des chagrins qu'il faut l'interdire ou la contrôler chez les adolescents ! Vous imaginez le succès que vous auriez si vous annonciez une saison ou une année sans amour, sans petit(e) ami(e). Cependant, autant être prêt en tant que parent à consoler les coups de déprime que les grandes passions provoquent quand elles se terminent. Le printemps peut commencer dans l'euphorie et se finir dans les regrets.

Les parents qui incitent leurs enfants à avoir le plus de hobbies et d'activités extrascolaires risquent d'être déçus. Les engagements sont bien sûr importants. Ils donnent du sens à la vie mais ils n'ont aucun effet objectif sur le risque de déprime. Il vaut mieux – et l'effet est prouvé par l'enquête australienne – être entouré d'amis de bonne humeur et eux-mêmes engagés. Celles et ceux qui ont un cercle d'amis impliqués, par exemple dans des causes humanitaires et des associations caritatives ou spirituelles, se portent nettement mieux et sont protégés de la déprime. Voilà une observation que je trouve bien étonnante. Quand on s'engage soi-même, on se protège peu. Mais quand ceux qui sont autour de nous ont de fortes convictions, ils font du bien à notre humeur.

Enfin, un paramètre de qualité de vie est trop souvent négligé, c'est la quantité de sommeil. Les adolescents qui, tout en faisant la fête, arrivent à avoir une alternance veille-sommeil régulière et une quantité de sommeil suffisante construisent leur bonne humeur et leur bonne santé. Les nuits sans sommeil excitent puis fatiguent et désorganisent quand elles se répètent.

Les surprises ne s'arrêtent pas là. Les adolescents qui se confient le plus à leurs parents, celles et ceux qui leur racontent leurs petits secrets, vont mieux que ceux qui gardent tout pour eux. Je vous laisse imaginer la manière dont cette information risque d'être prise par les jeunes gens... Surtout si c'est après leur avoir dit que les flirts étaient contre-indiqués par la médecine !

Pour vous encourager dans ce métier impossible de parent qui est le plus difficile et le plus passionnant au monde, vous pouvez sourire avec Woody Allen :

« Tout ce qui est bon pour les parents ne l'est pas : le soleil, le lait, la viande rouge, le collège. »

« Quand j'ai été kidnappé, mes parents ont tout de suite réagi : ils ont loué ma chambre. »

« Mes parents ont vécu quarante ans ensemble, mais par pure animosité. »

Le mois de juin d'Arthur Rimbaud

On n'est pas sérieux, quand on a dix-sept ans.
Un beau soir, foin des bocks et de la limonade,
Des cafés tapageurs aux lustres éclatants !

On va sous les tilleuls verts de la promenade.
Les tilleuls sentent bon dans les bons soirs de juin !
L'air est parfois si doux, qu'on ferme la paupière ;
Le vent chargé de bruits – la ville n'est pas loin –
A des parfums de vigne et des parfums de bière...
« Roman », 1870.

Méditer avec cinq syllabes

On n'en finit plus de mesurer les effets bénéfiques de la méditation. Il ne se passe pas un mois sans qu'une nouvelle publication n'en explique tout le bien. Si vous méditez ne serait-ce que dix minutes par jour, vous vous intéresserez davantage à l'instant présent, vous y trouverez plus de bonnes sensations et serez moins envahi par des émotions négatives.

Votre état d'esprit passera alors de :

« Je pense souvent aux soucis anciens. »

À :

« Je trouve du plaisir dans le quotidien. »

Ceux qui méditent sont reconnaissables à leur manière d'être ; ils sont moins sous pression. Ils courent moins d'un endroit à un autre et, étonnamment, sont plus à l'heure et plus efficaces.

La méditation apprend à s'écouter soi-même, à se connaître et même à s'entendre penser ou parler. En travaillant votre concentration sur l'instant présent, vous modifiez votre perception du temps. La méditation apprend également à être conscient de son corps, de ses réactions, de son existence.

Comment commencer à méditer quand on ne s'y est jamais mis ?

Nous sommes nombreux à nous demander comment aborder cette activité nouvelle. Il n'est pas facile de se glisser tout à coup dans la peau d'un homme ou d'une femme contemplatif. Les experts en méditation sont parfois intimidants et on se demande comment les suivre. Si vous êtes novice dans l'activité, vous pouvez tester un premier exercice particulièrement facile.

Répétez-vous pendant quelques minutes une phrase agréable ou même cinq syllabes sans signification, mais dont le son vous plaît. Cette répétition agit comme un métronome sur l'esprit et le cerveau. Elle vous donne un nouveau rythme. Grâce à ce métronome, vous allez vous surprendre et vous entendre.

Pourquoi ne pas profiter d'une des premières journées de printemps pour tester en plein air l'effet de la répétition de cinq mots ou cinq syllabes ?

Selon une étude allemande qui vient de paraître, dix minutes quotidiennes de cette répétition permettraient de chasser la déprime et de profiter pleinement de la moindre émotion positive.

La bonne nostalgie

Pendant longtemps, nous avons cru que la nostalgie était une pensée toxique dont il fallait se débarrasser. On s'est moqué des collectionneurs de vieilles cartes postales, de disques du siècle dernier et de photos de famille. Les expériences les plus récentes démontrent au contraire qu'il y a une bonne et une

Méditations de printemps

Quelques idées de printemps pour sourire, rire ou méditer :

« Un rayon de soleil vaut tous les livres du monde. » (Christian Bobin)

« Voici comment le problème du mariage est posé : le mari attend et veut la paix, le calme plat et l'épuisement ; la femme rêve les émotions du commencement, les joies de l'âme, le mois d'avril, l'aube ! l'un veut dormir, l'autre s'éveille. »
(Victor Hugo)

« Soyons réalistes, demandons l'impossible. »
« Il est interdit d'interdire. »
« Nous on a sous les pavés la plage. »
(Slogans de mai 1968)

mauvaise nostalgie. La nostalgie la plus connue, la nostalgie du passé, est celle qui fait du bien. Elle n'est pas un signe de regret du temps perdu et ne conduit pas à la déprime. Vous voulez retrouver votre passé, votre enfance, votre vie d'il y a quelques années ? Rien de grave. C'est un indice de bonne santé et un facteur de résistance au stress. Cette nostalgie personnelle n'a rien de triste. Elle signifie simplement que vous aimez encore ce que vous avez été et vécu.

En outre, la nostalgie rend sociable. Entre nostalgiques, on se rencontre et on se comprend. On partage le même amour des vieux films ou des voitures anciennes. On s'amuse à chanter ensemble les succès de son enfance ou de son adolescence. La nostalgie construit une identité. Entre anciens d'un pays ou d'une école, on se retrouve et on partage des émotions nostalgiques et agréables. Les nostalgiques sont des gourmands du passé, toujours à la recherche d'un nouveau souvenir. Leur passion pour le passé leur donne de l'énergie et de la bonne humeur. Elle leur permet de trouver du plaisir dans l'instant présent.

Il y a néanmoins une nostalgie à laquelle on ne doit pas se laisser aller. C'est la nostalgie du futur, dont on mesure aujourd'hui les effets toxiques. Le nostalgique du futur se complaît dans le regret de ce qu'il est en train de vivre, et dans la crainte que le présent ne s'en aille trop vite. Au printemps, il est particulièrement en souffrance. Il est incapable de profiter de la nouvelle saison. Devant les bourgeons, il pense déjà à l'automne. Quand le nostalgique du passé dit gaiement « comme mon prince charmant était beau » avant de repartir à la recherche d'un nouvel amour, le nostalgique du futur se contente du triste constat : « Pourquoi tomber amoureux d'un prince charmant qui sera parti demain ? » Ainsi trouve-t-il plus prudent de rester seul.

La nostalgie du futur est tellement toxique pour la bonne humeur qu'il faut apprendre à s'en passer. Un collège de psychologues de Syracuse, aux États-Unis, a mis au point des exercices antinostalgie du futur. Essayez, vous aussi, de guérir de votre peur du futur en cultivant la nostalgie du passé. Comme les deux nostalgies ont du mal à coexister, souvenez-vous de votre enfance, de vos études, de vos anciens amis, et vous serez moins exposé à la nostalgie du futur.

Une autre parade à la nostalgie du futur est l'idée de cycle et de répétition. C'est particulièrement vrai avec les saisons. Le printemps est peut-être fugace, mais il reviendra l'an prochain !

Enfin, point par point, idée après idée, désintoxiquez-vous des fausses croyances de la nostalgie du futur. Dressez-en la liste, et vous commencerez à mesurer leur absurdité :

Le printemps va finir, mieux vaut ne pas le regarder.

Un jour celui ou celle qui m'aime me quittera alors autant ne pas m'attacher.

Cette série télévisée va se terminer, alors pourquoi la commencer.

Je vais un jour perdre mon animal familier.

Les musiques que j'aime ne seront plus à la mode.

Ce qui me plaît aujourd'hui va devenir introuvable.

Je vais devoir un jour déménager, changer de ville ou de lieu ou renoncer à mes lieux habituels.

*Une personne que j'aime risque de mourir, je m'y pré-
pare en la gardant à distance.*

La société va changer. En restant seul, je me protège.

*L'un de mes objets préférés, vêtement ou téléphone par
exemple, va s'user et ne me servira plus à rien.*

*Mes enfants, mes petits-enfants ou mes neveux ne res-
teront pas jeunes toute leur vie.*

Ma vie va devenir de plus en plus compliquée.

…

Extraverti et en bonne santé

On se moque facilement des beaux parleurs qui
accaparent l'attention. Il est plus élégant d'être
modeste et timide. Ce n'est pas si sûr ! Les extravertis viennent de prendre leur revanche. La médecine leur donne raison et les incite à cultiver ce
trait de caractère, un peu agaçant certes, mais garant
de bonne santé. Car les extravertis profitent mieux
de l'instant présent. Ils s'amusent davantage et sont
plus sociables, plus actifs. Ils ont plus d'amis et de
meilleures relations avec leur famille. Mieux vaut
exprimer ses opinions et ses émotions si l'on veut se
sentir en bonne forme. Chez certains, l'extraversion
est une nature. Ils sont printaniers, boute-en-train
et tournés vers les autres. Chez d'autres, il faut un
peu se faire violence. Si vous craignez de parler en
public ou si vous n'avez pas l'habitude d'exprimer vos

émotions, vous pouvez faire chaque jour un exercice d'extraversion.

Pendant quelques minutes, essayez de vous lâcher, autorisez-vous à raconter une mauvaise blague, ou une bonne, à aborder une personne connue, voire inconnue. Je fais le pari que vos premières expériences d'extraversion vont vous faire tellement plaisir que vous aurez envie de les répéter.

Une recherche hollandaise vient d'expliquer pourquoi les extravertis sont plus heureux : ils sont plus sensibles aux moments de réussite. Quand ils gagnent de l'argent, triomphent dans un sport ou prospèrent dans les affaires, ils éprouvent davantage d'émotions positives. Les extravertis sont donc doublement gagnants. Leur caractère protège leur santé et ils consacrent plus de temps à des activités qui leur font plaisir. Ils accordent plus d'importance à leurs loisirs, aux arts et à la sexualité. Même le travail leur apporte souvent plus de joie, car ils y trouvent l'occasion de faire de nouvelles rencontres et de remporter des petits défis qui les stimulent.

Les extravertis sont donc les champions de la bonne humeur. Ils profitent naturellement :

Des moments amusants ou plaisants. Devant un film comique, un extraverti rit plus fort et prend plus de plaisir.

Des rencontres amoureuses et amicales. Les extravertis ont beaucoup d'amis, ils sont plus séduisants en société et trouvent beaucoup de plaisir dans les situations d'interaction sociale.

Des plaisirs passagers. Un extraverti n'a nul besoin d'une promesse de bonheur sans fin. S'il vit un petit moment agréable, même très court, il est déjà ravi. Il ne redoute pas la fin du plaisir. Il voit dans un petit plaisir non une menace mais une promesse, et l'annonce d'expériences plus intenses et encore plus agréables. L'extraverti déguste chaque seconde de l'instant présent. Il se régale d'un bon plat, d'un bon mot ou d'un bon morceau de musique.

Des plaisirs faciles. L'extraverti aime les joies simples comme une émission de télévision agréable, une séance de shopping ou l'écoute d'un disque. Il n'a pas besoin de plaisir conquis à force de travail ou de sueur, comme la réussite sociale ou un exploit sportif.

Vous commencez à en être convaincu, la vie d'un extraverti est bien plus aisée, au printemps et en toutes les saisons. Vous allez devoir entretenir votre nature extravertie ou la construire à petits pas. C'est le moment de s'y consacrer, le temps et la lumière vont vous y aider.

Pour ce faire, autorisez-vous une petite folie quotidienne qui vous surprendra, même si vous pensiez que vous n'en étiez pas capable. J'aime donner comme « ordonnance d'extraversion » et d'audace la phrase d'Eleanor Roosevelt, l'épouse du président Franklin Roosevelt : « Faites chaque jour une chose qui vous fait peur. »

En mai, fais ce qu'il te plaît

Il y a deux manières de mettre en pratique cette invitation.

La première, la plus évidente, est de la lire comme un encouragement à la liberté. Décidez-vous enfin à ne plus vous interdire plaisir et sensations agréables. Congédiez votre machine à culpabiliser ou votre censure de plaisir. En mai, votre surmoi se prépare à partir en vacances.

La seconde manière est moins évidente. Et pourtant elle est tout aussi utile pour se charger en émotions positives. En mai, cherchez à connaître ce qui vous plaît vraiment. Non seulement vous avez le droit d'assouvir vos désirs, mais vous avez l'obligation de les chercher, de vous les avouer et de les reconnaître.

Traitez votre phobie du rire

Il est utile à la santé de s'entraîner à rire. Il l'est tout autant d'apprendre à aimer le rire des autres. Certains apprécient naturellement de voir leur entourage sourire et même rire. D'autres au contraire souffrent d'une petite névrose que le printemps va néanmoins aider à corriger : la phobie du rire ou gélotophobie. La gélotophobie s'exprime de deux manières : la peur du rire des autres ou la méfiance devant les rieurs. Les gélotophobes anxieux trouvent le rire impoli voire désagréable et fuient les amis rieurs et les films drôles pour préférer des relations calmes, tristes ou ennuyeuses. Les gélotophobes méfiants, eux, voient dans le rire une menace ou de la moquerie.

La phobie du rire est néfaste pour la santé, elle rend agressif et triste. Quand on a peur de voir quelqu'un rire, on devient plus malheureux et plus solitaire. Le cerveau du gélotophobe traite moins bien les informations extérieures. Il détecte des menaces là où il n'y en a pas. L'électroencéphalogramme d'un gélotophobe révèle des rythmes cérébraux perturbés, qui confirment la toxicité de cette phobie.

Les amateurs de rire ont en revanche le cerveau mieux connecté. Ils font travailler en harmonie trois parties-clés de leur cerveau :

– les zones cérébrales profondes qui reçoivent et traitent l'émotion,

– le cortex ou l'écorce, à l'extérieur du cerveau, qui réfléchit,

– le lobe frontal qui décide de ce qui est drôle ou ne l'est pas.

Quand on aime regarder quelqu'un rire ou que l'on n'est pas gêné, c'est que le cortex frontal a bien décrypté la situation. Il a pu envoyer au reste du cerveau un message de sécurité – « ce comportement n'est pas menaçant » – et d'autorisation à ressentir des émotions. À la fin, le lobe frontal identifie la situation comme positive et les zones cérébrales profondes reçoivent des émotions agréables.

La bonne nouvelle est que cette phobie du rire se traite facilement. Vous pouvez vous entraîner, seul ou en groupe, à mieux tolérer les rires et à ne plus les prendre pour des menaces. Quelques expériences vont vous aider à aimer le rire ou tout au moins vous y habituer sans éprouver de l'angoisse :

Cherchez sur Internet des vidéos de grands acteurs en train de rire. Vous ne manquez pas d'exemples classiques comme Bourvil, Louis de Funès ou encore Jim Carrey, Jean Dujardin ou des fous rires des journalistes piégés dans des bêtisiers. Il vous suffit de regarder régulièrement ces séquences pour avoir vous aussi envie de rire pour un rien. En vous y exposant, vous « traitez » votre gélotophobie. On n'a peur que de ce que l'on ne connaît pas assez.

Racontez une histoire drôle à l'un de vos amis et regardez-le rire avec plaisir.

Entraînez-vous à sourire et même à rire sans raison et regardez-vous dans un miroir. En vous habituant à votre rire, vous trouverez celui de vos voisins moins inquiétant.

Le yoga du rire

Un médecin généraliste indien, Madan Kataria, a créé à Mumbai un club du rire. La première réunion de son club s'est tenue dans un jardin public en Inde. Depuis, on ne compte plus les clubs du rire en Europe et en Amérique. Madan Kataria enseigne tout d'abord trois idées très simples :
— On n'a pas besoin d'avoir le sens de l'humour pour rire.
— On n'a pas besoin d'avoir une raison de rire.
— On n'a pas besoin d'être heureux pour rire.

Ensuite, les apprentis rieurs s'entraînent successivement :
— au rire du lion (on rugit de rire),
— au rire de la dispute (on se fâche en riant),
— au rire de soi (on se moque de ses échecs),
— au rire du moteur enrayé (comme un moteur intérieur qui redémarre en riant).

Madan Kataria compare ses séances à un exercice de gymnastique de l'esprit. Il le déconseille toutefois à celles et ceux qui sont trop tristes et à ceux qui souffrent d'une hernie qui pourrait s'étrangler à cause du rire.

Souris à la vie, et la vie te sourira

Le sourire est encore plus utile que le rire pour aller bien. Vous souriez au printemps ? Continuez. Vous avez bien raison. En souriant, vous relancez votre fabrication d'antidépresseurs naturels. J'en fais l'expérience dans ma vie personnelle et en consultation. Quand tout va mal, un petit sourire fait retomber la pression et recharge en émotions positives. La découverte des effets miraculeux du sourire vient de révolutionner la psychologie de la bonne humeur. Avant les études d'Eric Finzi, médecin à Washington, on pensait que l'on souriait uniquement quand il y avait une bonne raison de sourire. Les travaux d'Eric Finzi ont prouvé qu'en plus du sourire naturel ou spontané, le sourire, même forcé, est bon pour le moral.

Tout est parti d'une étonnante observation. Les femmes américaines qui abusent du botox (la toxine botulinique) ont, en permanence, un sourire crispé aux lèvres. Elles sont aussi de meilleure humeur simplement parce qu'elles sont obligées de sourire. Ce résultat ne doit évidemment pas inciter à abuser du botox mais plutôt à travailler son sourire volontaire. Quand vous souriez, vous vous faites du bien et vous envoyez à votre cerveau un message de sécurité et de stimulation des émotions.

La méthode infaillible du feedback facial

On savait que les émotions nous font sourire ou pleurer et qu'elles agissent sur l'expression de notre visage. On vient de découvrir que l'inverse est vrai aussi. En fait, on s'en doute depuis Darwin – le fait de froncer les sourcils rend triste. L'impact de nos expressions sur les émotions s'appelle le *feedback facial*. Quand vous faites travailler les muscles du sourire, vous faites également travailler vos neurones. Les muscles du visage, fortement connectés au cerveau, vous permettent de fabriquer des antidépresseurs naturels.

Les expériences qui demandent à des volontaires de tenir un stylo entre les lèvres ou entre les dents déclenchent des accès de bonne humeur. Par exemple, si vous regardez un film comique avec un stylo entre les dents, vous êtes obligés de sourire et du coup vous trouvez le film plus drôle que si l'on vous interdit de sourire. Essayez de faire l'expérience inverse. Faites tenir un petit objet en équilibre entre vos sourcils que vous allez froncer pour qu'il reste en place. À cause de ce simple froncement de sourcil, vous serez plus affecté devant des images tristes.

Ces résultats sont tellement impressionnants que la médecine cherche à tirer parti du *feedback facial*. Tout est bon pour vous apprendre à sourire le plus longtemps possible tant ce petit geste fait du bien. Selon les sons que vous prononcez, vous souriez ou vous faites grise mine. En prononçant le son

« ou » vous ne pouvez pas sourire tandis que le son « i » vous fait contracter les zygomatiques.

Testez vous-même l'effet de ces deux sons. Si vous répétez plusieurs fois « ou », vous serez plus triste que si vous dites « i » en souriant. Il y a même des chercheurs allemands qui ont rédigé des textes sans le son « ou » et avec un maximum de « i » pour rendre leurs lecteurs plus souriants et donc plus heureux.

Essayez de lire quelques pages du roman de Georges Perec *La Disparition*. Dans ce livre, l'écrivain avait fait le pari de ne pas utiliser la lettre « e ». Du coup, il se sert beaucoup du « i »...

« Anton Voyl n'arrivait pas à dormir. Il alluma. Son Jaz marquait minuit vingt. Il poussa un profond soupir, s'assit dans son lit... Il prit un roman, il l'ouvrit, il lut ; mais... il butait à tout instant sur un mot dont il ignorait la signification. »

...

« Il ouvrit son vasistas, scruta la nuit. Du canal Saint-Martin, un clapotis plaintif signalait un chaland qui passait. »

Face à votre miroir, continuez de travailler votre *feedback facial* de printemps. Prenez votre pouls et regardez-vous dans la glace. Souriez pendant une minute. Votre rythme cardiaque ralentit. Faites le contraire, vous obtiendrez l'effet inverse. Si vous froncez les sourcils, votre tension monte et votre cœur accélère.

Le top sourire de Duchenne

Dès 1850, le neurologue Duchenne de Boulogne a expliqué l'action des muscles du visage sur les émotions. Il a fait une découverte qui, depuis, n'a jamais été remise en cause. Les meilleurs sourires font travailler la bouche et les yeux. Dans les moments où l'on est le plus heureux, on écarte les lèvres sous l'effet des zygomatiques et on contracte les muscles orbiculaires situés autour des yeux.

Si en plus de votre sourire, vous arrivez à contracter vos muscles orbiculaires ou tout au moins à fermer un peu les yeux, vous obtiendrez le sourire dit de Duchenne. C'est le meilleur !

Les examens du cerveau par IRM (Imagerie en Résonance Magnétique) aident à comprendre les secrets du *feedback facial.* La contraction des zygomatiques stimule une zone profonde du cerveau porteuse d'émotions : l'amygdale. Chez ceux qui sourient, l'amygdale leur permet de mieux résister au stress, à la colère et aux émotions négatives.

La thérapie des nerfs crâniens

Les nerfs crâniens transportent les informations de l'extérieur vers le cerveau. Avec quelques expériences ciblées, vous pouvez stimuler chacun de vos nerfs séparément. Quand vous profitez du soleil du printemps ou encore d'une vive lumière, vous stimulez votre nerf optique. Le message part directement vers l'amygdale, la zone profonde du cerveau chargée en émotions. Les parfums réveillent le nerf olfactif qui envoie lui aussi un message positif au cerveau.

Avec un peu de musique en plus, profitez au maximum des occasions de bonne humeur que vous offre le printemps.

Tenez votre journal de bonheurs

Les hommes ou les femmes heureux ou malheureux vivent à peu près les mêmes expériences. Il ne faut pas croire que les uns ont plus de chance que les autres ou que la vie des hommes heureux est une succession d'instants idylliques. La seule différence est que les plus heureux se souviennent davantage de leurs meilleurs moments. Si vous oubliez trop facilement vos émotions positives, la méthode du journal de bonheurs peut vous aider.

Commencez votre journal par ce que vous avez vécu d'agréable, la veille. Notez toutes vos expériences sympathiques, même les plus brèves, les plus banales. Selon votre goût pour la papeterie ou la technologie, vous choisirez un fichier ou un carnet à l'ancienne.

Pour préciser vos sensations, notez le moment précis où vous les avez vécues, leur durée, ainsi qu'une brève description. Répondez encore à deux questions :

Étiez-vous seul ou à plusieurs quand cela vous est arrivé ?

Dans quel domaine d'activité avez-vous trouvé du bonheur (sport, famille, amour, travail, nature…) ?

Si vous continuez l'expérience pendant une semaine, le nombre de moments agréables que vous recensez va vous surprendre. Votre journal de bonheurs va déborder de séquences auxquelles vous n'auriez pas pensé si vous ne les aviez pas notées. Pour finir, choisissez entre garder votre journal secret ou en partager les temps forts avec celles et ceux que vous aimez. Quitte à ce que ce partage soit une nouvelle expérience à consigner dans votre journal…

L'effet caméléon

La découverte de l'effet caméléon date de l'an 2000. Il vient d'être confirmé dans un restaurant hollandais où on a comparé l'attitude de deux serveurs. Le premier prend la commande des clients en la répétant à haute voix tout en la notant. L'autre écoute la commande sans commentaire. Les deux serveurs sont aussi rapides l'un que l'autre mais celui qui a répété la commande reçoit plus de pourboires.

Nous aimons que l'on s'accorde à nos opinions, qu'on les écoute et qu'on nous le montre. Au nom de l'effet caméléon, nous apprécions que ceux qui nous entourent s'adaptent à nos choix, à nos idées, tel le caméléon qui accorde sa couleur avec celles de son environnement. Le comportement d'imitation du caméléon est plus valorisé que l'indifférence ou l'opposition.

Dans le domaine de la bonne humeur, l'effet caméléon est maximal. Dans une ambiance agréable, nous exprimons nos émotions positives et dans une ambiance triste, au travail ou dans la vie personnelle, nous nous sentons obligés d'exprimer des émotions tristes. Faites l'expérience de paraître de bonne humeur durant un dîner où chacun se prépare à la fin du monde. Vous ne serez pas dans le ton. Vous risquez même d'agacer. Il est plus facile d'agir en caméléon. Alors autant choisir ses relations et des situations agréables pour s'accorder à elles.

Agir sur son inconscient ?

Le génie de la psychanalyse en général et de Sigmund Freud en particulier a été de découvrir la puissance de l'inconscient. Beaucoup de nos choix amoureux ou professionnels, de nos réussites et de nos actes manqués, de nos lapsus viennent de l'inconscient. Sans remettre en cause l'inconscient, les récentes expériences de psychologie ont redonné de l'importance au conscient. L'image que nous avons de nous-même est consciente et raisonnable. C'est sur elle que nous pouvons réfléchir et agir, tandis que notre image inconsciente échappe à notre contrôle. On a depuis peu démontré que ce que nous pensons consciemment de nous-même agit sur notre image inconsciente.

L'image la plus importante pour la bonne humeur et la bonne santé reste l'image inconsciente ou implicite. C'est celle qui donne l'idée d'une vie réussie ou ratée. Elle porte un sentiment, soit de bien-être, soit de tristesse. Or cette image implicite ou inconsciente dépend de notre image consciente. Heureusement, nous pouvons, en travaillant sur nous-même, changer notre image consciente et ainsi agir indirectement sur notre image inconsciente. En apprenant à nous aimer, à nous apprécier, nous envoyons un message à notre image inconsciente.

L'image implicite ou inconsciente s'est fabriquée dans notre enfance, avec nos premières expériences. Nous ne pouvons pas revenir dessus. L'image de soi explicite est un domaine entièrement à notre portée.

Quoi que l'on ait vécu, le présent peut être plus fort que le passé. Nous avons en nous le pouvoir de compenser presque toutes les faiblesses subies dans l'enfance. Nous pouvons retoucher notre image inconsciente en trouvant des motifs conscients ou objectifs de nous aimer.

Entretenir son image de soi est un chantier de printemps aussi important que l'entretien de sa condition physique ou de son jardin. Vous avez trois domaines simples dans lesquels votre image explicite peut évoluer :

Relisez votre passé... pour y trouver des réussites oubliées ou des motifs de fierté trop vite passés sous silence.

Trouvez dans l'instant présent des raisons de vous plaire. Sans raisonner en tout ou rien (je suis parfait ou méprisable), moissonnez les petites expériences positives et les petits motifs de satisfaction.

Imaginez comment vous vous plairez demain. En anticipant les événements agréables à venir.

Comment mesurer son image implicite ?

Cette image se teste avec 14 mots positifs en général, 14 mots négatifs en général et 12 mots en lien avec l'image que l'on a de soi.

Pour chaque mot, choisissez entre des caractéristiques élogieuses, admirables, formidables et des adjectifs dévalorisants, ennuyeux, sans intérêt.

Les mots les plus riches de sens sont ceux qui ont à voir avec vous-même :

Votre prénom

Votre nom

Votre couleur de cheveux

Votre métier

À chacun de ces mots, attribuez un adjectif élogieux ou négatif. L'ensemble va se transformer en un score qui vous permettra de savoir si vous vous aimez ou pas. En cherchant et trouvant vos qualités, vous allez faire évoluer votre score dans le bon sens.

Le biais de confirmation

Quand vous vous considérez comme quelqu'un sans intérêt ni qualité, vous cherchez dans votre vie une confirmation de votre opinion. Vous trouvez des arguments qui vont dans le sens de la dévalorisation. Pour le dire autrement, celles et ceux qui ne se plaisent pas se donnent raison en ruminant tout ce qu'il y a de déplaisant en eux. L'inverse est vrai aussi. Si vous avez de vous une image acceptable, vous trouverez des raisons de continuer à vous aimer, ou pour le moins de vous supporter. Le biais de confirmation pèse particulièrement pour le passé. Quand je rencontre quelqu'un de mauvaise humeur, il m'annonce tout ce qui, dans son passé récent ou plus ancien, justifie sa mauvaise humeur. Il me dresse sa liste d'échecs, de hontes, de regrets. Puis, au fil de la discussion, il se détend et relit différemment son passé. Il y trouve des réussites, des bonnes surprises et des raisons de s'apprécier.

À la fin du rendez-vous, il m'explique qu'il a dû faire un petit effort pour se souvenir des motifs de fierté oubliés depuis longtemps. Ses bons souvenirs étaient restés cachés, parce qu'ils n'étaient pas dans le ton, pas en phase avec son humeur du moment.

Avec le biais de confirmation, vous entrez soit dans un cercle vertueux, soit dans un cercle vicieux. Plus vous vous aimez, plus vous vous donnez de belles couleurs en harmonie avec votre image positive. Plus vous êtes moroses, plus vous exprimez vos couleurs les plus sombres ou les plus repoussantes. Les arbres sont en train de changer de couleur. À vous d'accorder au vert tendre l'image que vous avez de vous.

Le secret du président Coolidge

Le président des États-Unis Calvin Coolidge et sa femme Mme Coolidge ont donné leur nom à ce drôle d'effet dont se servent encore les experts en comportement.

Alors que le couple visitait un élevage de poules et de coqs, Mme Coolidge demande à l'éleveur de volailles comment il obtient autant d'œufs fécondés avec si peu de coqs. L'agriculteur explique que chaque coq féconde chaque jour une dizaine de poules. La suite du dialogue, probablement inventé, donne son nom à l'effet Coolidge.

— Expliquez comment faire à M. Coolidge ! dit la femme du président.

Le président des États-Unis demande alors combien de poules sont présentées à chaque coq et veut savoir si chaque coq féconde toujours la même poule.

— Non, répond l'éleveur. Chaque coq a tous les jours plusieurs poules à sa portée. Et on essaie de lui présenter le plus de poules différentes pour le garder motivé.

— Expliquez-le à Mme Coolidge, dit le président des États-Unis.

L'effet Coolidge est la manière de décrire la stimulation par la nouveauté qui s'explique par une augmentation de la *dopamine*. Dans les zones profondes du cerveau comme le système limbique, la dopamine est stimulée quand arrive une partenaire jusque-là inconnue. Un autre aspect de l'effet Coolidge est la déprime par répétition. Quand aucune nouveauté n'est proposée, la dopamine baisse dans le système limbique. La sérotonine s'effondre aussi.

Le printemps est donc une bonne invitation à profiter de l'effet Coolidge... Et pas seulement en cherchant de nouveaux partenaires sexuels. À vous de choisir la nouveauté qui va relancer vos hormones, votre motivation et votre cerveau. Avec une nouvelle activité, une nouvelle rencontre, une situation que le froid vous empêchait jusqu'alors de vivre, vous ferez le plein de dopamine et d'émotions positives.

Les bienfaits du karaoké

L'action du karaoké sur l'humeur est très complète. Et va au-delà de la simple écoute de musique.

– Vous bougez en même temps que vous écoutez de la musique et vous recevez une double stimulation.

– Vous écoutez la musique à plusieurs (là encore, le groupe stimule).

– Vous chantez en même temps que vous écoutez votre morceau préféré (vous mélangez musique passive et active).

– Vous travaillez votre bonne nostalgie, celle du passé qui fait goûter l'instant présent.

Si l'on dose les marqueurs de l'adrénaline et du stress dans le sang et la salive, on s'aperçoit qu'ils baissent chez les hommes et les femmes qui écoutent de la musique et plus encore lors d'une soirée karaoké. L'axe du stress est mis au repos quand on écoute et qu'on chante les musiques que l'on aime. Et le fait de décider activement d'écouter de la musique ensemble est un autre déterminant de son effet sur l'émotion.

Il est heureux que les karaokés aient lieu le soir. La soirée est le moment où la musique fait le plus de bien et relaxe le plus. L'action sur l'adrénaline et les autres hormones du stress est plus marquée quand on écoute de la musique en fin de journée. Enfin, il faut être concentré sur ce que l'on écoute et là encore le karaoké est parfait. En suivant le rythme et les paroles, vous ne perdez aucune des bonnes sensations. Les endorphines augmentent plus nettement et plus longtemps quand on écoute de la musique avec des amis ou que l'on chante en même temps.

La musique idéale pour l'humeur

Une musique choisie
Écoute consciente et volontaire (pas de fond sonore)
Musique active plus que passive (mieux vaut le chant ou la production personnelle que la simple écoute)
Musique écoutée ou produite en groupe (la chorale plus que les gammes seul(e) devant son piano)
Musique du soir (une détente de fin de journée plutôt que le rythme imposé dès le matin)
Musique associant le corps (en dansant, bougeant ou en se relaxant dans son fauteuil)

Entre deux séances de chansons en groupe, vous pouvez aussi décider de consacrer dix minutes de votre journée à vous détendre en musique. Vous serez mieux relaxé que si vous laissez en fond sonore pendant des heures une musique à laquelle vous n'attachez pas d'importance. N'oubliez pas non plus d'être actif avec la musique. Mieux vaut produire sa propre musique que seulement la consommer. Le chant vous recharge particulièrement en bonne humeur, que vous chantiez seul ou en groupe, juste ou moins juste ! Chanter en même temps qu'écouter est l'exercice parfait. Si en plus vous bougez et dansez, vous mobiliserez d'autres neuromédiateurs (dopamines et endorphines) qui compléteront l'effet sur le moral.

Musique du soir pour se détendre

Le sujet de la musicothérapie est tellement sérieux que l'on recherche les musiques qui font le plus baisser la déprime et l'adrénaline. Les morceaux qui suivent ont été testés en laboratoire et ont fait leurs preuves sur le rythme du cœur et les émotions. Écoutez-en dix minutes chaque soir pour donner à votre printemps de la bonne humeur.

Strawberry swing de Coldplay : un morceau dans une tonalité pop tranquille avec le souvenir des tubes du siècle dernier qui vous ont peut-être fait danser ou flirter.

Weightless de Marconi Union : dans une ambiance de science-fiction, vous suivez une musique électronique qui fait particulièrement planer. C'est une musique tellement vaporeuse qu'on croirait qu'il s'agit d'un médicament anesthésiant.

La *Canzonetta sull'aria* de Wolfgang Amadeus Mozart : cet air est mon préféré. Je l'utilise souvent et pas seulement au printemps. Il est tiré d'un opéra plein d'énergie, *Les Noces de Figaro*.

Un air de sitar par Ravi Shankar : vous pouvez choisir la bande originale du film *Gandhi*. Jamais la méditation ne vous aura paru aussi facile qu'avec cette musique calme, propice à la concentration sur l'instant présent et sur vos sensations corporelles.

VOTRE JOURNÉE
DE BONNE HUMEUR
AU PRINTEMPS

Matin
Prendre le soleil du matin pour avoir moins faim
Écouter *Così Fan Tutte* de Mozart au réveil
S'entraîner à l'extraversion, échanger par exemple
    quelques mots avec son boulanger...
Ne plus avoir peur des rires
Sourire même sans raison au printemps

Midi
Manger dans une assiette rouge
Une moitié d'assiette avec des fruits et des légumes
    frais
Un café aphrodisiaque en terrasse

Après-midi
Pratiquer le lifting de l'image de soi
Une heure de sport tranquille choisi

Méditer en se répétant cinq syllabes
Cultiver la nostalgie du passé, bonne pour le moral
Sourire ou rire, même en se forçant

Soirée
Salade, maïs et melon pour les folates
Chercher un nouveau plat, un nouveau fruit ou un
    nouveau restaurant
Limiter les verres d'alcool déprimants
Tenir son journal de bonheurs
Organiser une soirée karaoké
Écouter *Strawberry Swing* de Coldplay

UN ÉTÉ
DE BONNE HUMEUR

« Qui chante pendant l'été danse pendant l'hiver. »

Ésope

« C'est par son humeur qu'on plaît pendant l'été et par le fond de son caractère qu'on se fait aimer ou haïr. »

Joseph Joubert, *Carnets*.

Se préparer aux vacances et au soleil, est-ce bien nécessaire ? Comment et pourquoi s'entraîner à la bonne humeur dans une saison qui lui est naturellement consacrée ? Je rencontre beaucoup d'amis et de consultants qui annoncent à tout le monde qu'ils attendent leurs vacances, qu'ils en ont besoin absolument, que c'est pour eux le meilleur moment de l'année. Quand ils sont plus sincères, ils parlent aussi des inquiétudes que font naître l'été et les congés. Est-il si facile que ça de se passer de ses habitudes de travail, des relations et des amitiés nouées dans son métier ? À quoi va-t-on occuper son esprit quand il n'y a plus de contraintes ?

L'inaction est à la fois un plaisir, une occasion et un défi. Qu'allons-nous faire du vide, de la vacance qui laisse en tête à tête avec soi-même ? Depuis l'arrivée des nouvelles technologies, les vacances sont aussi des temps de sevrage. Pourra-t-on se passer de ses jeux préférés, de ses applications, de son ordinateur ? Prépare-t-on des vacances 2.0 en

155

emportant ses tablettes et ordinateurs ou va-t-on vers une désintoxication du virtuel ? Allons-nous choisir un lieu de vacances le mieux ou le moins connecté possible ?

UN CORPS
EN PLEINE FORME

Salade de lentilles et œuf dur pour le zinc

Le zinc est présent dans les zones profondes du cerveau – celles qui portent les émotions – et dans le cortex, la partie extérieure du cerveau – qui est la base du langage et du raisonnement. Notre cerveau a besoin de zinc pour sa mémoire, sa régulation des émotions et pour ressentir du plaisir.

Le zinc protège aussi le cerveau des stress biologiques encore appelés stress oxydatifs et de la mort cellulaire ou apoptose. L'hippocampe est une zone du cerveau qui est particulièrement dépendante du zinc pour bien fonctionner. Grâce à un hippocampe en forme, nous apprenons, nous mémorisons et pouvons faire la différence entre les émotions agréables et désagréables.

Une dernière qualité vitale du cerveau est son potentiel de neuroplasticité. C'est cette dernière qui permet aux cellules de se régénérer et de créer de nouvelles connexions entre les neurones. Ce mécanisme a besoin de zinc pour bien fonctionner.

Si un animal est privé de zinc, il devient triste, fatigué, agressif et déprimé en trois semaines. Ses molécules de la bonne humeur diminuent et les médiateurs de la déprime comme l'adrénaline et les corticoïdes augmentent. Un taux bas de zinc dans le sang est un indice soit de déprime, soit de risque de déprime. Le risque de déprime par manque de zinc est plus net chez les femmes et en particulier chez les jeunes femmes. Chez l'homme, un taux bas de zinc fait baisser la testostérone avec pour conséquence une perte de désir et d'énergie. Dommage pour l'été, non ?

Quand on compare les taux de zinc dans le sang des hommes et des femmes de bonne et de mauvaise humeur, on s'aperçoit que les femmes et les hommes heureux ont 1,8 mmol/l de plus de zinc dans le sang. Vous pouvez, avec l'été, travailler vos apports en zinc. C'est le moment de découvrir ou de redécouvrir :
- le foie de veau (13 mg pour 100 g)
- le bœuf (10 mg pour 100 g)
- les lentilles (5,5 mg pour 100 g)
- le pain complet (5 mg pour 100 g)
- le jaune d'œuf (4 mg pour 100 g)
- et le hareng

Pour être en forme et de bonne humeur, la quantité minimale de zinc à prendre par jour est de 11 mg. Si vous voulez vraiment vous recharger en zinc pendant l'été, vous pouvez aller jusqu'à 40 mg par jour.

> ### Les vacances selon Claude Lelouch
> « Enfin, vous ne savez pas rester sans rien faire. Vous ne savez pas rien faire. Mais vous remettez en question la société des loisirs. »
> « Tout homme libre ne devra avoir ni travail, ni famille, ni patrie. »
>
> Dialogues de *L'Aventure c'est l'aventure*

Pourquoi les glaces font-elles si plaisir en été ?

Quand il fait chaud, on aime le contraste du froid. On sait maintenant d'où vient ce plaisir : les sensations de frais sont perçues par des récepteurs présents dans la bouche – récepteurs qui sont aussi stimulés par le menthol. La glace, comme le menthol et les bonbons rafraîchissants, fait entrer des ions calcium dans les nerfs partant de la bouche. La fraîcheur de la glace apporte d'autant plus de plaisir que l'extérieur est étouffant.

Pour lutter contre la chaleur de la canicule, il est bon de boire beaucoup d'eau et de déguster des glaces. Sachez que la bouche et la peau réagissent différemment au froid. Quand vous placez un objet glacé sur votre peau, vous ressentez le froid et la température du corps diminue. Les récepteurs au froid de la bouche, eux, ne font pas diminuer la température du corps ; ils apportent juste une sensation de frais. Pour qu'une glace rafraîchisse votre corps, il faudrait en manger près de 500 g – et, une minute plus tard, votre température corporelle ne diminuerait que de 0,5 degré ; après une heure, elle aura baissé d'un degré. Si vous vous limitez à des quantités raisonnables de glace, votre température corporelle ne bouge pas. Il n'y a que votre bouche qui se rafraîchira, ainsi que votre cou qui perdra deux degrés en température.

L'impression de fraîcheur dans la bouche produit de la bonne humeur. Et cela est moins agressif qu'un glaçon sur la peau ou une douche glacée – même si une douche tiède fait du bien. Si l'on offre en plein été des glaces à des gourmands volontaires, ils vont trouver l'expérience vivifiante, stimulante et réconfortante. L'effet de la glace est d'autant plus agréable que la température dépasse les 30° et compense de manière physiologique et fort agréable la chaleur de l'air.

Cet été, n'hésitez pas à vous régaler de glaces sans la moindre culpabilité. En diminuant la température de votre bouche, vous vous faites plaisir et transformez le frais en émotions agréables. Pour faire attention à votre ligne, choisissez les glaces les moins grasses et les moins sucrées – l'effet sur la bonne humeur dépend de la température de ce qu'on mange et non de la quantité de sucre avalée.

Et pourquoi ne pas déguster votre glace en musique ?

Au-delà du rafraîchissement, et du plaisir des yeux et du goût, vos oreilles peuvent accroître les sensations plaisantes. Car le goût et l'ouïe sont plus connectés qu'on ne le croit. L'ambiance sonore dans laquelle nous mangeons influence nos choix de nourriture et augmente l'intensité de notre bien-être.

Une équipe de chercheurs néo-zélandais a testé les effets conjoints de la glace et de la musique. Vingt hommes et vingt-cinq femmes d'Auckland en Nouvelle-Zélande se sont vu offrir une glace au chocolat et un accès à leurs musiques préférées. Pour la glace, ils avaient le choix entre trois parfums de chocolat : le chocolat noir, le chocolat amer et le chocolat au lait.

Si les glaces mangées en silence étaient agréables, quand les volontaires écoutaient en même temps une musique qui ne leur plaisait pas, leur glace semblait plus amère. Avec une musique douce à leur oreille, la glace leur paraissait en revanche plus sucrée et la sensation en bouche durait plus longtemps. Plus étonnant, l'expérience a démontré que manger une glace en écoutant une musique que l'on aime rend sentimental. L'émotion amoureuse et l'ouverture au plaisir sont idéalement stimulées par un mélange de glace et de musique.

Je suis sûr que vous allez bien trouver cet été une manière de mettre en pratique l'alliance entre glace et musique avec la personne de votre choix !

Pourquoi y a-t-il interaction entre musique, alimentation et plaisir ?

La musique, l'un de mes antidépresseurs naturels préférés, renforce la glace et :
– stimule le cortex de votre cerveau,
– augmente l'attention que vous portez au goût de l'aliment,
– augmente la stimulation du palais d'autant plus que la musique vous est agréable. Si vous montez le son ou, pire, si on vous impose une musique qui ne vous plaît pas, le plaisir gustatif diminue.

Les chercheurs néo-zélandais ont dressé une liste de morceaux de musique pour accompagner votre glace et vous mettre de bonne humeur.
En voici quelques-uns :
La Lettre à Élise de Ludwig van Beethoven, jouée par Alfred Brendel, si vous aimez la musique classique et le piano romantique.
Thunder Struck par AC-DC parce que vous croyez qu'il n'y a rien de mieux qu'un rock en été pour se motiver.
Suzanne par Léonard Cohen parce qu'on a bien le droit de prendre son temps en été et de cultiver un peu de bonne nostalgie.

Georgia on My Mind de Ray Charles. C'est mon préféré pour ajouter au son et au goût de la glace les couleurs de la Géorgie aux États-Unis.

Les dangers cachés du hamburger-frites

Les estivants qui mangent davantage de frites, de hamburgers et de boissons sucrées sont plus souvent de mauvaise humeur.

Une étude a été menée sur 850 jeunes Coréennes dont on a analysé le niveau d'humeur et les repas – les autorités coréennes sont particulièrement vigilantes, car leur pays a le triste privilège de présenter le taux de suicide le plus élevé avant vingt-cinq ans.

Il a été démontré que les jeunes filles coréennes de mauvaise humeur mangeaient une fois et demie plus souvent des hamburgers, des pizzas, des pâtes et des sandwichs que les autres, en oubliant les fruits, le riz et les légumes verts. On sait maintenant pourquoi les aliments gras et sucrés font du mal au cerveau et au moral : ils diminuent l'hormone qui permet aux neurones de pousser, le facteur de croissance neuronal (*nerve growth factor*), et bloquent les endorphines – une hormone de la bonne humeur. Ces aliments vite mangés et vite digérés ont l'effet d'une « antimorphine » cérébrale naturelle. En sortant de table vous êtes de plus mauvaise humeur et vous ressentez davantage vos petites douleurs. Les fanatiques des hamburgers et de la pizza se provoquent des carences en folates, vitamine B12 et vitamine B6. Sans parler des carences en zinc, une autre molécule de la bonne humeur.

Les parents doivent se demander ce qu'ils vont faire de ces informations. La menace de manquer d'une vitamine ou d'une autre suffira-t-elle à convaincre un adolescent de changer de repas ? Comment lui faire supporter un été sans hamburgers ni frites ? Et puis quoi encore ? Pourquoi ne pas diminuer aussi le téléphone ? Patience, on y arrive. En attendant, vous pouvez négocier à la manière du programme américain *myplate* proposé au chapitre précédent. Vous allez trouver un compromis entre l'envie (légitime) de pizzas et de hamburgers et la santé (légitime aussi mais moins attractive), en suggérant d'alterner repas de crudités, salades et légumes verts et repas avec hamburgers-frites, ou pizzas, plus toxiques pour le moral, mais indispensables à un été réussi !

Choisir entre soda et bonne humeur

Je sens que les adolescents vont me haïr. J'en ai maintenant après leurs boissons préférées. On sait que les sodas contenant beaucoup de sucres augmentent le risque de diabète et qu'ils font flamber le risque d'obésité. Comme ils apportent très vite de grandes quantités de calories, ils augmentent le poids sans diminuer la faim. Les sodas avec des édulcorants de synthèse ne valent pas mieux. Ils font souffrir notre microbiote, la précieuse flore intestinale qui fabrique entre autres les bonnes molécules de la sérotonine. Enfin, les sodas sont les ennemis jurés de la bonne humeur. La preuve vient d'une enquête menée à Tianjin, une ville du nord de la Chine, qui révèle que boire plus de quatre verres de soda par jour multiplie le risque de déprime par deux. Avec plus d'un litre de soda par jour, vous augmentez de 60 % votre risque de stress ou de mauvaise humeur.

Il y a derrière l'effet déprimant des sodas une explication biologique. Le fait de consommer du sucre de manière rapide diminue la sérotonine et provoque une inflammation du cerveau. Il n'y a pas de « maladie objective » du cerveau chez le buveur du soda. Mais, quand on avale beaucoup de sucre, les neurones se défendent moins bien contre le stress.

Le fait de ne pas du tout boire de soda, de se les interdire complètement, n'est pas synonyme non plus de bonne humeur – je vois d'ici les plus jeunes reprendre espoir ! L'idéal est d'en consommer de manière très modérée, un verre de temps en temps l'été.

Bien entendu, les effets toxiques des sodas sur l'humeur sont valables pour tous, y compris les seniors, plus amateurs de sucreries qu'on ne le croit.

Il n'y a pas d'âge pour protéger sa bonne humeur et son cerveau.

Un thé glacé antidéprime

Préparez-vous votre thé préféré. Ajoutez-y des glaçons et tous les parfums que vous inspire l'été. Laissez-le rafraîchir, puis profitez des bienfaits :
– du frais dans la gorge et au bout des doigts,
– du thé avec tous les antidépresseurs naturels,
– d'un ou des fruits de votre choix.

Attention ! Évitez de remplacer les sodas par des jus de fruits. Eux aussi vous apportent du sucre rapidement et en grande quantité. L'idéal est de trouver une boisson, pas trop sucrée voire pas sucrée du tout qui ne perturbe pas l'équilibre de votre cerveau, de votre sérotonine et de vos endorphines. Vous ne manquerez certainement pas d'idées pour votre nouvelle boisson d'été. Essayez donc un thé chaud ou glacé, comme le suggèrent les chercheurs chinois. Les buveurs de thé sont de meilleure humeur. Vous avez tout un été pour apprendre à trouver autant de plaisir dans le thé que dans les sodas ! Essayez-le à toutes les températures. Quand vous en aurez fait l'expérience, vous n'aurez plus qu'à convaincre vos proches. Et voyez si les plus accros au sucre et aux sodas sont les plus jeunes ou les plus âgés.

> **Jacques Brel et les soirs d'été**
> Je suis un soir d'été
> Aux fenêtres ouvertes
> Les dîneurs familiaux
> Repoussent leurs assiettes
> Et disent qu'il fait chaud
> Les hommes lancent des rots
> De chevaliers teutons
> Les nappes tombent en miettes
> Par-dessus les balcons
> Je suis un soir d'été

Manger épicurien plutôt que viscéral

Il y a deux manières de manger. Nous mangeons par plaisir ou pour satisfaire notre faim. L'alimentation-plaisir est un comportement épicurien – Épicure est ce philosophe grec qui incitait à vivre à fond les plaisirs de la vie. En mangeant épicurien, on apprécie le goût et la forme de ses aliments. Le temps du repas est aussi sensuel que sensoriel. Vous ne faites pas seulement le plein de calories, mais aussi de sensations, d'émotions et de plaisirs.

Le repas viscéral est bien différent. Nous répondons à l'appel pressant de nos organes qui réclament leur dose de calories. Nous mangeons vite, sans savourer, juste pour rassasier une faim que l'on n'a pas toujours. Ces fringales viscérales peuvent être déclenchées soit par la vue d'un aliment qui nous fait plaisir, soit par une émotion négative comme le stress que nous essayons de calmer en nous jetant sur un sandwich ou des chips.

Durant un repas épicurien, prenez votre temps, appréciez chaque étape : la nourriture mais aussi la table, les couverts, l'instant présent et les convives. Sachez que le plaisir bloque les faims inutiles – Épicure est plus fort que les viscères. Plus vous vous préparerez de repas épicuriens, moins vous aurez de faims viscérales. En mangeant en épicurien, vous vous chargez en émotions positives et vous avez moins besoin de calories. La qualité de la sensation remplace la quantité dans l'assiette. En outre, les effets d'un repas épicurien durent plus longtemps. Vous vous en souvenez avec plaisir le lendemain alors qu'un repas viscéral est vite oublié.

L'été est le meilleur moment pour s'entraîner aux repas les plus agréables possible. Appliquez donc à vos repas les critères épicuriens mis au point par l'université de Vancouver au Canada :

Je m'installe au calme et j'imagine à l'avance le goût de mes aliments préférés.

Je m'intéresse à la nourriture, à la diététique et à la cuisine. C'est pour moi une science et non un sujet d'angoisse.

Je m'entraîne à cuisiner moi-même. L'art de la cuisine est un talent comme la peinture ou la musique, je profite d'un surplus de temps libre pour l'exercer.

Pendant mon repas, je m'intéresse à l'aspect des aliments, à leur odeur, à leur goût, à leur texture dans la bouche.

Je m'essaye à parler avec précision du goût d'un plat avec mes amis ou ma famille.

Je cherche le juste mot pour définir exactement le goût de ce que je mange.

Même quand j'ai faim, je m'oblige à préférer un petit plat avec beaucoup de goût à un plat copieux sans goût.

Les repas épicuriens ne feront grossir que votre... bonne humeur. Ils sont une forme d'antirégime de l'été. Vous ne vous frustrez plus, vous ne vous maltraitez pas, vous remplacez seulement un plaisir bref et viscéral par un plaisir plus prolongé, plus intense et plus raffiné.

Activité oui, épuisement, non

Quand il fait chaud, vous hésitez entre une petite activité physique et pas d'activité du tout. Vous n'avez pas le courage de tenir le même rythme qu'au printemps. La canicule vous épuise. Je vous comprends. L'été, je préfère moi aussi une sieste au bord de l'eau à une course, une randonnée, ou une heure passée en salle de sport. Et si en plus je cède à un alcool ou une sucrerie, le plaisir est encore plus grand. Mais, pour être en forme et de bonne humeur, que faut-il faire ? Rester à l'ombre sans bouger ? Lutter contre le temps et sa flemme ? Vous vous doutez de ma réponse. À chaque saison, je m'emploie à vous convaincre des bienfaits de l'exercice, même le plus bref et le plus tranquille. Je n'ai pas changé d'avis pour l'été. Notre manière de bouger doit seulement tenir compte de l'environnement et du climat.

L'université du Wisconsin vient de donner une recommandation claire et bien adaptée à l'été. J'essaie de l'appliquer et, bien sûr, je la conseille. À l'usage, elle est facile à tenir et active sur la bonne humeur. Pour le cœur et les muscles, mieux vaut un effort soutenu. Pour le moral, même une petite activité physique, tranquille et légère fait du bien. Pour obtenir un effet sur le moral, le plus important est la régularité de l'entraînement. Chez les malades de la dépression, on a même pu démontrer que l'exercice physique régulier sans trop de fatigue est un traitement aussi efficace sur l'humeur qu'un médicament antidépresseur.

Comment être sûr que même une activité tranquille fait du bien ? Le service médical du Wisconsin a proposé à des femmes de marcher ou de courir pendant trente minutes. Elles ont fait varier le rythme de leur effort pour que leur cœur s'accélère de 40 %, de 60 % ou 80 %. Quand on mesure leur score de bonne humeur après trente minutes d'exercice, il n'apparaît pas de différence selon l'intensité de l'activité. Les trois rythmes de marche ou de course ont autant augmenté la bonne humeur. Chacun de ces trois rythmes vaut mieux que trente minutes d'inactivité. Même si l'on ne s'épuise pas, les émotions produites par le sport arrivent environ vingt minutes après la fin de l'exercice. Quand l'activité est quotidienne, l'action sur la bonne humeur est encore plus nette.

Conciliez paresse et activité

Quand le temps est très chaud, rien ne sert de tester vos limites. Ce qui compte c'est la régularité de votre engagement. Avec un peu de mouvements chaque jour, vous augmentez les molécules de la bonne humeur que vous commencez à bien connaître : la sérotonine, la dopamine, les morphines cérébrales.

Et comme vous ne vous épuisez pas, vous n'augmentez pas les hormones du stress que sont l'adrénaline et les corticoïdes.

Le temps idéal d'activité pour se faire du bien est de trente minutes. Maintenant que vous savez qu'il n'y a pas besoin de tester ses limites, cherchez les endroits les plus agréables, à la piscine, à la plage, à la campagne, où vous pourrez relancer sans la brusquer votre fabrique personnelle d'euphorie.

Un bon sommeil
sans ordinateur ni téléphone

Vous vouliez une bonne raison de ranger un peu votre ordinateur en été ? En étant moins connecté, vous dormirez mieux et plus longtemps. 467 adolescents écossais ont servi de cobayes pour démontrer les effets toxiques de la connexion à temps plein. Au passage, ils ont aussi prouvé les bienfaits d'un été sans trop d'ordinateur. Leur exemple invite à être vigilant vis-à-vis de l'Internet. Plus vous passez de temps en ligne, moins vous dormez. En vous connectant plus modérément l'été, vous ferez l'expérience :

d'un sommeil plus long,

d'un endormissement plus facile,

d'un sommeil moins entrecoupé d'alertes et autres bips,

d'un oreiller plus moelleux quand il n'y a pas un téléphone dessous,

d'une plus grande détente parce que vous aurez moins peur de manquer une information ou un message important,

d'une plus grande lucidité et d'une moindre fatigue dans la journée.

Les mesures de la mélatonine vont dans le sens d'une déconnexion l'été... et même au-delà. La lumière des écrans perturbe les alternances veille-sommeil et décale les pics de mélatonine. Face à la lumière de la tablette ou du téléphone, vous stimulez votre cerveau et lui envoyez le soir un message de réveil. Il réagit comme s'il devait se préparer à une journée d'activité et non au sommeil. Dès que le temps face à l'écran diminue, vous vous couchez plus tôt, vous vous endormez plus vite et vous êtes plus en forme physiquement et psychologiquement le lendemain. Votre cerveau enregistre mieux le soir le message qui lui annonce qu'il doit se préparer au sommeil.

Il y a une forme d'angoisse du virtuel à laquelle vous allez aussi échapper en vous connectant moins. Rien n'est neutre dès lors qu'on reçoit ou transmet une information sur Internet. Vous postez une photo, un témoignage ou un avis. Sera-t-il lu ? Sera-t-il commenté ? Comment allez-vous supporter soit l'indifférence, soit un avis moqueur ou désobligeant ? Vous suivez l'info en ligne comme une drogue. Quel événement majeur risquez-vous de manquer ? Toutes celles et ceux qui ont eu le courage de prendre quelques vacances avec leurs réseaux sociaux, qui ont déconnecté leur téléphone et leur ordinateur ne l'ont pas regretté. Si vous ne pouvez pas imaginer tenir éloignées de vous vos chères machines, essayez au moins de ne pas vous connecter le soir ou la nuit pendant l'été. Vous allez voir qu'il n'est pas difficile de passer agréablement ses soirées autrement qu'en pianotant sur un écran.

Allongez vos télomères
en cultivant la bonne humeur

Les télomères sont des protéines situées au bout de nos chromosomes. Plus ils sont longs, plus ils prédisent que nous allons vivre vieux et en bonne santé. Quand ils raccourcissent, le risque de vieillissement intellectuel, de maladie cardio-vasculaire et de cancer augmente. Une des manières simples d'agir sur ses télomères est d'entretenir sa bonne humeur. Quand on est déprimé, les télomères raccourcissent tandis qu'ils s'allongent chez celles et ceux qui sont de bonne humeur. En faisant de votre été une suite d'expériences positives, vous augmentez votre santé et celle de vos chromosomes. Parmi les expériences de bonne humeur, les plus actives sur les télomères, on retrouve les activités en groupe et l'exercice physique. Les femmes et les hommes qui ont des amis et qui bougent avec eux, celles et ceux qui passent des vacances en famille ou en groupe ont des télomères plus longs que ceux qui restent seuls.

Quand la biologie donne des idées de vie sympathique, autant écouter ses conseils...

UN ESPRIT
EN PLEINE FORME

Ne jamais se trouver trop vieux pour rien

Ne vous moquez plus de celles et ceux qui refusent de vous dire leur âge. Ils luttent contre le temps. En fait, ils ont bien raison. En refusant de se trouver vieux, ils entretiennent leur santé et leur bonne humeur. La manière dont on perçoit son âge et le temps qui passe conditionne la santé du corps et de l'esprit. Il n'est pas bon de se trouver trop vieux par exemple pour des vacances insolites ou actives. Plus on se sent jeune, moins on a l'impression que le temps est une catastrophe et mieux on se porte. Comme dans bien d'autres domaines de la psychologie, la prophétie autoréalisatrice joue à fond. Celles et ceux qui se trouvent vieux le sont plus que ceux qui se croient toujours jeunes. Si vous n'êtes pas capable de vous remettre en question et de prendre quelques petits risques à cause de votre âge, alors vous risquez de perdre vos capacités.

L'âge de ses artères ?

« Un peintre a l'âge de ses tableaux ; un poète a l'âge de ses poèmes ; un scénariste a l'âge de ses films. Seuls les imbéciles ont l'âge de leurs artères. »
Henri Jeanson

Les secrets antivieillissement

L'une des manières les plus efficaces de ne pas se sentir trop vieux est de continuer à s'engager dans le plus d'activités possible. Vous pouvez, pour vous distraire et tout en protégeant votre santé, appliquer les principes des seniors irlandais :
– aller au cinéma
– aller au théâtre et au concert
– suivre des cours dans le domaine qui vous intéresse
– voyager et découvrir des pays inconnus
– jardiner
– lire
– écouter de la musique
– jouer aux cartes
– dîner en dehors de chez vous
– rencontrer vos amis et votre famille
– faire du volontariat et du bénévolat
– faire partie d'un groupe, d'un club ou d'une communauté

Le pouvoir de cette perception de l'âge et du temps vient d'être démontré chez plus de huit mille seniors irlandais. Celles et ceux qui ont réussi à se croire assez jeunes pour bouger, s'amuser et se surprendre ont :
– plus d'amis et de contacts sociaux,
– une meilleure mémoire,

– une meilleure alimentation,
– un cœur en meilleure forme et bien protégé par un style de vie adapté.

Les seniors en pleine forme ne nient certes pas le temps qui passe, et ne se prennent pas pour des adolescents. Ils acceptent le fait qu'ils vieillissent mais font de leur vieillissement un atout. Ils ont réussi à adopter quelques idées protectrices de leur bonne santé et de leur bonne humeur :

Tout en vieillissant, je grandis humainement et je progresse.

Malgré le temps qui passe, je peux quand même m'efforcer de garder mon autonomie.

Ralentir le temps n'est de toute façon pas à ma portée.

La méthode fonctionne. Les Irlandais qui consacrent du temps aux activités productrices d'émotions positives se sentent moins âgés. Ils sont naturellement de meilleure humeur. Chacune de leurs expériences renforce chez eux le sentiment d'être assez jeunes pour connaître encore de bons moments. Leur cerveau est lui aussi plus jeune. Ils arrivent mieux à résoudre des problèmes de mathématiques ou de philosophie difficiles. Échapper au vieillissement n'est pas si compliqué. Il faut commencer par accepter que l'âge qui avance ne vous enlève aucune capacité. Vous pourrez appliquer cette idée dès votre prochain choix de destination estivale.

La magie du *Concerto pour piano* de Tchaïkovski

Si vous voulez en tirer le maximum de bénéfices, relaxez-vous et laissez venir à votre esprit les idées et rêveries que cette musique vous inspire. Des images vont apparaître. Regardez-les. Souvenez-vous-en. Cherchez des résonances entre la musique et les moments agréables de votre vie. Répétez l'expérience, tous les jours, pendant une semaine...
Vous arrivez à mieux vous concentrer.
Les souvenirs heureux remontent plus facilement à votre esprit.
Vous contrôlez mieux vos émotions négatives et vos coups de stress.

N'emportez pas votre mauvais esprit en vacances

Savez-vous ce qui différencie un vacancier de bonne ou de mauvaise humeur ? Son degré d'interprétation hostile de ce qui l'entoure. Une interprétation hostile rend malheureux. Dès que vous vous fâchez en vacances, vous êtes triste ou énervé, et vous cherchez et trouvez les raisons de l'être. Vous vous plaignez du temps, de votre lieu de vacances, des amis pas assez disponibles, de la famille absente ou envahissante ? Décidez de changer votre stratégie d'interprétation, et vos vacances vont très vite devenir plus agréables. Avant de partir, entraînez-vous à ne plus interpréter comme des agressions ou des menaces ce qui ne se passe pas exactement comme vous le voulez. Prenez des exemples de situations banales et apprenez à leur donner une signification soit neutre, soit non menaçante.

Par exemple :

Quelqu'un est en face de moi dans la rue.

Le temps n'est pas aussi beau qu'il le devrait.

Mes voisins me gênent en parlant fort ou avec leur musique.

Aucune de ces situations n'est vraiment menaçante ni dangereuse. Si vous ne l'interprétez pas de manière hostile, vous travaillez dans le sens de la bonne humeur et protégez par la même occasion vos vaisseaux des coups d'adrénaline. En outre, savoir combien cela est bon pour votre santé vous aidera. Hillary Smith, psychologue en Floride, est formelle. L'interprétation hostile multiplie par deux le risque de déprime. Une interprétation positive ou neutre est un facteur de protection naturel antidéprime et antimaladie.

Remplacer ses contacts en ligne
par des vraies rencontres

L'été, il est plus facile de prendre un peu de distance avec les réseaux sociaux. Il est grand temps de renoncer à une illusion moderne : plus on a d'amis en ligne, plus on est entouré socialement et protégé. Essayez de vous déconnecter pendant quelques jours ou quelques semaines, et vous verrez que rien de grave ne se passera. Des psychologues du Massachussetts aux États-Unis et de Louvain en Belgique viennent de s'apercevoir que les hommes et les femmes qui ont le plus d'amis sur les réseaux sociaux et le moins d'amis dans la vraie vie sont les plus déprimés. Le score de mauvaise humeur est même corrélé au nombre d'amis qu'ils ont sur les réseaux sociaux. L'explication est simple. Plus on se sent triste, plus on a besoin de se rassurer en multipliant les contacts en ligne. Par contre les hommes et les femmes de bonne humeur communiquent avec des amis plus exigeants, rencontrés dans la vie réelle. Ils ont moins besoin d'être rassurés par une multitude de like ou un grand nombre de personnes qui les suivent. L'amitié en ligne est devenue un vrai sujet d'étude. Et si l'on veut utiliser correctement cette forme de contact, il faut faire la différence entre trois formes d'amitié.

Les liens latents ou potentiels dans la vie réelle : Ce sont toutes les personnes que nous rencontrons une fois, que nous aimerions revoir, mais que nous ne revoyons pas faute de temps ou parce que l'occasion ne se présente pas. Nous n'approfondissons pas notre relation avec elles. Ces liens latents font quand même du bien. Ils laissent entendre que nous avons autour de nous des possibilités non encore exploitées, des relations ébauchées que nous aurions le loisir de construire. Les hommes ou les femmes heureux ont plus d'invitations à dîner potentielles que de soirées. Les plus tristes ont plus de soirées que de dîners.

Les relations virtuelles faibles : Les réseaux sociaux transforment facilement un échange en ligne en relation virtuelle faible. C'est même à cela qu'ils servent. Vous avez rencontré quelqu'un sur un écran, vous avez échangé votre adresse sur Internet, vous partagez quelques photos et vous vous donnez l'illusion de rester en contact. Ces relations faibles sont déprimantes si elles en restent là et qu'elles empêchent de vivre des relations plus intimes dans la vie réelle. Elles ne font que donner une illusion d'interaction, sans la charge positive d'une vraie rencontre ou d'un moment de partage.

Les relations réelles : Ce sont elles qui contribuent le plus à notre bonne humeur et à une image positive de nous-mêmes. Pour qu'elles existent et se nouent vraiment, il ne faut pas être trop accaparé par l'animation de notre réseau de relations virtuelles faibles. Vous avancez vers la bonne humeur en consacrant plus d'attention à vos anciens amis, à votre famille et à la transformation de vos liens potentiels en nouvelles rencontres réelles. Encore faut-il que les discussions en ligne vous en laissent le loisir.

Définitivement, les rencontres dans la vraie vie, les partages autour d'un repas ou de toute autre occasion sont plus vivifiants que les seuls commentaires sur les réseaux sociaux. L'été est donc un bon moment pour faire diminuer l'un des cercles (celui des relations virtuelles) et augmenter l'autre (celui des relations réelles). C'est aussi avec les loisirs de l'été que vous allez pouvoir transformer quelques relations potentielles en relations réelles. Pour le dire plus simplement, vous allez cultiver de nouvelles amitiés.

Un petit secret
pour progresser plus vite en sport

Il faut beaucoup de qualités pour devenir un bon golfeur, un bon joueur de tennis ou de squash... : de l'adresse, de la maîtrise de soi, de la souplesse et une bonne dose de condition physique. Il faut aussi et surtout une bonne part d'optimisme. Plus vous pensez que votre coup va être gagnant, plus il a de chances de l'être. Certains professeurs de golf filment tous les coups réussis par leurs élèves et les leur montrent en boucle. Ces images positives les font davantage progresser que le souvenir de leurs erreurs.

Quand les psychologues de Las Vegas rencontrent des golfeurs, ils montent des expériences qui vont toutes dans le même sens : un golfeur optimiste est un meilleur golfeur qu'un golfeur déprimé. Si un trou paraît plus large qu'il ne l'est, par exemple parce qu'il est entouré de cercles, les golfeurs l'atteignent plus facilement. Ils ont plus confiance en leurs capacités et du coup ils jouent mieux. Un trou qui paraît plus étroit qu'il ne l'est nécessite plus de coups pour être atteint.

L'effet de l'optimisme a été démontré avec le golf. Mais c'est vrai pour tous les autres sports. Vous comme moi en avons fait l'expérience. Et les supporters de football le savent aussi ! Les équipes les plus optimistes sont souvent les mieux classées.

Le succès encourage, motive et rend de bonne humeur. Et le cercle vertueux de la bonne humeur s'installe. Un sportif de bonne humeur et qui croit en lui est objectivement plus adroit.

Si vous observez la posture d'un golfeur ou d'un joueur de tennis, il se comporte différemment selon qu'il est optimiste ou pessimiste. Les optimistes travaillent mieux avec leur corps. Ils sont plus souples et plus puissants alors que les pessimistes se contractent, ils serrent les dents et se créent des microchocs musculaires. Il y a à tout cela une explication cérébrale et biologique. Quand vous anticipez une réussite, vous stimulez les voies de la dopamine et vous êtes en meilleure forme physique et psychologique. Vos muscles sont plus solides et vos articulations plus souples.

En emportant votre matériel de golf ou votre raquette de tennis, ajoutez-y au passage une dose d'optimisme. Vous n'en serez que meilleur joueur. Si vous voulez progresser encore plus vite, choisissez un moniteur qui souligne vos réussites et en anticipe d'autres.

Churchill, le golf et l'optimisme
« Le golf consiste à mettre une balle de 4 cm de diamètre sur une boule de 40 000 km de tour et à frapper la petite, non la grande. »

Se faire du bien avec le bleu et le vert

La nature agit comme un antidépresseur sans toxicité. Comme destination estivale, vous pouvez choisir de séjourner dans un établissement de soin – cures, spa et sources naturelles. L'environnement y est particulièrement apaisant ou vivifiant. Ou encore leur préférer les sites sacrés, pour méditer ou connaître une expérience spirituelle, et n'oubliez pas les lieux de pèlerinage et de retraite.

Profitez-en pour vous recharger en deux couleurs indispensables au bien-être : le *bleu*, du ciel et de la mer, et le *vert* de la végétation. Toutes les occasions sont bonnes, en été surtout, pour en profiter ! Dès que vous le pouvez, mettez-vous face à une fenêtre et regardez le paysage – vous aurez tout le temps de voir des murs à la rentrée. En vacances, passez le plus de temps possible à contempler la nature, à être en connexion ou en communion avec elle, et vous recueillerez un maximum d'émotions positives.

Quelle est l'action du vert et du bleu sur votre esprit et votre cerveau ?

Le *vert* est la couleur de la végétation : herbe, arbres. Devant du vert vous profitez, sans vous en rendre compte, d'un miracle psychologique et biologique. Vous avez envie de bouger, de rencontrer des amis voire d'aborder des personnes inconnues. Le vert est la *couleur de la convivialité*. Voyez la relation sympathique qui s'installe entre marcheurs et promeneurs ! On se salue, on demande des nouvelles les uns des autres, simplement parce qu'un chemin ou une randonnée en pleine nature nous y invite.

Le *bleu* est la deuxième *couleur-santé* de vos vacances. C'est la couleur du ciel et de l'eau. Vous avez le choix entre l'océan, les lacs et les rivières. Faute de ces sources naturelles, une piscine ou même une fontaine apporteront à vos vacances la touche de bleu dont vous avez besoin. L'effet antidéprime naturel de l'eau est démontré et on commence même à comprendre la manière dont l'environnement aquatique fait du bien. Le bleu augmente le sentiment de bien-être et l'estime de soi. À la mer, ajoutez-y l'effet stimulant de la baignade et du bruit des vagues.

Un psychologue allemand a démontré que les habitants qui vivent tout près du Rhin sont de meilleure humeur et qu'ils consomment moins de psychotropes que leurs concitoyens. De même, certaines maisons de retraite néo-zélandaises qui ne peuvent pas offrir à leurs résidents de vue sur mer ou de promenade en environnement bleu compensent ce manque en décorant leurs chambres avec des images de paysages marins. Les Néo-Zélandais ont aussi constaté que les personnes âgées vivant sur une île étaient de meilleure humeur et en meilleure santé. Le bleu du ciel et de la mer compensait les désagréments de l'isolement insulaire. Des médecins de Vancouver, au Canada, viennent de confirmer l'action antidéprime du bleu et du vert chez des hommes et des femmes de soixante-cinq à quatre-vingt-cinq ans.

Les bienfaits du bleu et du vert

Bienfaits physiques :
Motive pour l'activité, pour s'amuser et pour faire de l'exercice,
Amélioration de la santé et prévention des maladies.

Bien-être psychologique :
Impression de renouvellement de l'esprit, de réconfort et de rajeunissement,
Relaxation, diminution du stress,
Connexion spirituelle avec les personnes que l'on aime.

Bien-être social :
Incite aux rencontres et à la convivialité.

Êtes-vous mer ou montagne ?

Selon que vous choisissez la mer ou la montagne, cela en dit plus que vous ne le croyez sur votre personnalité. Ceux qui aiment la mer sont plus extravertis que ceux qui aiment la montagne. Les fondus de plage ont besoin de contacts sociaux permanents. Ils trouvent du plaisir à se montrer, à attirer l'attention sur eux. Les introvertis préfèrent la montagne, plus en accord avec leur goût de la solitude et de la méditation. Les forêts et les neiges éternelles leur procurent le calme et le silence dont ils ont besoin. Leur chère montagne est bien moins peuplée et bruyante que la plage, royaume des extravertis. Pour faire en vacances le plein de bonne humeur et d'émotions positives, il faut que votre environnement s'accorde au mieux avec vos goûts et vos besoins.

Même en dehors de l'été, vous vous portez mieux dans un environnement en phase avec votre personnalité. Les femmes et les hommes qui vivent toute l'année en montagne sont plus introvertis, plus taiseux que les résidents du bord de mer. Selon une étude réalisée aux États-Unis, on retrouve davantage d'introvertis dans les régions montagneuses. Choisissez donc un lieu de villégiature qui corresponde à votre personnalité.

Votre couple peut-il résister à l'été ?

Souvent, les vacances sont pour les couples un moment de vérité. Il n'est plus possible de s'abriter derrière ses obligations professionnelles pour éviter de se voir ou de se parler. Si certains couples vivent avec plaisir ce temps supplémentaire passé ensemble, d'autres aggravent une mésentente ou une absence de communication que les obligations avaient jusque-là cachée. Un thérapeute familial australien vient de tester un programme d'entraînement à commencer en couple avant les vacances. Ce n'est pas une vraie thérapie, mais une suite d'idées faciles à mettre en pratique l'été. Peut-être vous inspireront-elles ? Vous pourrez au moins en appliquer une cet été même si certaines vous paraissent un peu naïves ou évidentes :

Préparez pour vos vacances des activités agréables à partager. Cherchez pour cela des loisirs ou des lieux de visite que vous appréciez tous les deux ou que vous avez envie de découvrir ensemble.

Osez exprimer le plaisir que vous éprouvez à vivre de manière intime dans la proximité physique et intellectuelle de votre conjoint.

Cherchez des occasions de communiquer et d'échanger sans conflit. À vous d'identifier les thèmes de discussion qui sont les moins explosifs.

Cet entraînement de couple commence au tout début de l'été. Il se met en pratique pendant les vacances. Il n'est pas interdit de continuer à la rentrée les expériences de communication et d'interaction qui ont été les plus agréables.

> **Un été de poète**
> « Par les soirs bleus d'été, j'irai dans les sentiers, picoté par les blés, fouler l'herbe menue. Rêveur, j'en sentirai la fraîcheur à mes pieds. Je laisserai le vent baigner ma tête nue. »
> Arthur Rimbaud.

Profitez de l'été pour guérir de la *Facebookcrastination*

L'université Gutenberg en Allemagne vient de trouver une nouvelle calamité moderne, presque une maladie. À vous de voir si vous en êtes atteint afin d'en guérir cet été. L'ennemi moderne de la bonne santé est la *facebookcrastination*. Ce terme barbare décrit notre tendance à vérifier en permanence les messages sur Facebook plutôt qu'à finir des activités vraiment utiles. Si vous desserrez l'emprise de Facebook ou d'un autre réseau social, si vous consultez moins souvent votre profil, vous resterez disponible pour des tâches importantes qu'autrement vous négligeriez. Les étudiants sont les premières victimes de la *facebookcrastination*. Ils prennent du retard sur leurs révisions tant ils perdent de temps à communiquer avec leurs amis proches ou du bout du monde.

L'usage de Facebook et des autres réseaux a tôt fait de devenir une mauvaise habitude qui entrave la créativité et dont on a du mal à se débarrasser.

Voici les signes de ce petit travers moderne :

1. Je me connecte pour reporter le moment où je me mettrai à mon travail ou à toute autre activité plus utile.

2. En me connectant, je trouve une information qui me paraît intéressante à lire, un message à suivre, bref, n'importe quelle information qui justifie le fait que je ne me mette pas à mon travail.

3. Je suis énervé contre moi et contre tout le temps perdu.

4. Je me console en me connectant à nouveau.

La *facebookcrastination* mélange l'effet d'une technologie nouvelle et d'un trait de psychologie ancien. La procrastination est une tendance psychologique connue depuis toujours. Elle consiste à remettre au lendemain ce qui nous semble pénible ou qui demande beaucoup d'efforts ou de concentration. On ne compte pas les écrivains et philosophes qui se sont plaints de leur procrastination. L'un des plus connus, Henri Frédéric Amiel, a décrit dans un journal de 17 000 pages ses hésitations et ses états d'âme dépressifs.

Avec la *facebookcrastination*, la tendance à remettre au lendemain devient un mode de vie. Non seulement je diffère mon travail, mais en plus j'ai une bonne raison pour justifier mon retard. Je ne peux pas laisser sans réponse toutes les manifestations « amicales » qui viennent de mes réseaux sociaux. Quand on mesure les effets de la *facebookcrastination* sur la santé, les résultats sont impressionnants. Les étudiants les plus connectés sont les plus en retard dans leur travail et les plus malheureux. Dès qu'ils profitent de l'été pour prendre des vacances avec le virtuel, comme par miracle, leur concentration augmente et ils se sentent de meilleure humeur. En vacances de Facebook et des autres réseaux, ils sont plus en forme dans leur corps et moins obsédés à l'idée de passer à côté d'un message d'un ami qu'ils connaissent à peine.

L'un des pouvoirs d'attraction des réseaux sociaux est l'actualité permanente. En ligne, il se passe toujours quelque chose de nouveau, une information à commenter, une raison de s'émouvoir ou de s'indigner. La vie réelle est moins excitante, plus calme, plus répétitive. L'autre séduction des réseaux tient à leur pouvoir de satisfaction immédiate. Quand vous vous connectez, vous vous faites tout de suite plaisir. Vous êtes étonné, intrigué, amusé. Quand vous révisez un examen ou que vous travaillez, les bénéfices que vous en tirerez n'arriveront que plus tard. C'est un grand classique en psychologie. Le plaisir à court terme a plus de charme et d'attraction que celui d'une réussite qui ne se dévoilera qu'en fin d'année. C'est à cause de cette opposition entre plaisir immédiat et plaisir différé que j'ai tant de mal à convaincre les fumeurs de se sevrer. L'arrêt du tabac les frustre tout de suite alors que la cigarette ne les menace que bien plus tard. La cigarette fait plaisir dès la première bouffée. Le plaisir et la fierté du sevrage se font davantage attendre.

La culpabilité aggrave encore la situation. Plus vous vous reprochez de passer du temps en ligne, plus vous compensez la culpabilité en y retournant. La procrastination augmente le stress et le stress augmente la procrastination.

La solution va venir du soleil et du changement de lieu. Vous allez retrouver votre bonne humeur et vos capacités de concentration grâce à quelques jours de vacances. Il suffit de résister à votre mauvaise habitude en vous laissant séduire par toutes les expériences positives que vous offre l'été dans la vraie vie. Vous allez redécouvrir votre corps, le plaisir de l'activité physique et celui de la nature. C'est en lui préférant d'autres centres d'intérêt que vous guérirez la *facebookcrastination*. N'interdisez pas ou ne vous interdisez pas Internet. Mettez-le en concurrence avec de nouvelles expériences.

Reconnaître la beauté de l'été, et de chaque saison

Vous avez tendance à vous souvenir plus facilement des moments ratés ou désagréables de l'été que des bons moments ? Cette sélection du pire n'est pas une fatalité. Vous pouvez apprendre à ne retenir que

---

**Posez-vous la question de Gérard de Nerval
et trouvez vos propres réponses**

De toutes les belles choses
Qui nous manquent en hiver,
Qu'aimez-vous mieux ?
– Moi, les roses ;
– Moi, l'aspect d'un beau pré vert ;
– Moi, la moisson blondissante,
Chevelure des sillons ;
– Moi, le rossignol qui chante ;
– Et moi, les beaux papillons !
Le papillon, fleur sans tige
Qui voltige,
[...]

Gérard de Nerval « Les Papillons ».

---

les meilleurs moments de votre été. La fixation sur les bonnes sensations est une méthode qui s'appelle ABE : Appréciation de la Beauté et de l'Excellence.

La capacité d'ABE protège autant de la déprime qu'une thérapie ou un médicament. Repérez les trois domaines de la beauté qui sont les plus bénéfiques :

La beauté naturelle,

La beauté artistique,

Et la beauté morale.

Il est prouvé que ceux qui savent utiliser leur ABE vivent plus d'émotions positives et ont surtout plus d'espoir. Ils sont plus optimistes, ils croient davantage dans ce que l'avenir pourra leur donner. Pour s'entraîner à l'ABE, il suffit de remplir chaque jour les trois objectifs suivants :

Je décris ce que j'ai trouvé de plus beau aujourd'hui dans la nature.

Je décris ce que j'ai trouvé de plus beau aujourd'hui dans les productions humaines, que ce soit de l'art ou de l'artisanat.

Je décris le geste ou le comportement que j'ai trouvé le plus beau aujourd'hui et qui m'a le plus ému.

Si vous pratiquez cette méthode pendant trois mois, votre humeur sera bien meilleure et votre regard sur le monde changera. Un psychologue allemand, René Proyer, a démontré que l'ABE faisait encore plus de bien si l'on décrivait quotidiennement non pas trois mais neuf belles choses :

Trois dans le comportement humain,

Trois dans la nature,

Et trois belles choses en général.

On a également démontré que l'ABE était plus utile à la bonne humeur qu'une thérapie portant sur l'enfance. Vous aussi, tentez l'aventure en prenant tous les soirs quinze minutes pour repenser aux neuf plus belles choses de votre journée d'été. Souvenez-vous-en, visualisez-les et, si besoin, écrivez-les. En une semaine, vous verrez s'envoler les coups de déprime, les moments d'énervement et la morosité.

Quel que soit le temps, votre météo personnelle va être ensoleillée.

Un mois plus tard, vous serez étonné de constater que les expériences d'ABE agissent encore sur la bonne humeur. Les deux premiers jours sont les plus difficiles à tenir – vous vous demandez ce que vous allez bien pouvoir trouver à raconter à votre journal des belles choses. Au troisième jour, l'habitude est prise et votre été devient une suite de moments agréables que vous vous repassez en mémoire le soir.

Remarquez les sourires

Quand vous croisez un groupe d'hommes et de femmes, êtes-vous capable de repérer celui ou celle qui a l'air heureux ? Celui qui vous sourit ? Celui qui n'est pas loin de vous sourire ? Si vous y arrivez, c'est que vous êtes prédisposé à la bonne humeur. Si vous ne voyez aucun visage souriant autour de vous, il est grand temps de vous entraîner. Plus on sait détecter les sourires, plus on est soi-même souriant et en forme. La preuve vient d'en être apportée par un neuropsychologue de l'université d'Amsterdam. Il a montré à des volontaires de bonne ou de mauvaise humeur des visages successivement neutres, souriants et tristes. Résultat : les grincheux voient moins de visages souriants et s'ils les voient, cela leur demande plus de temps et plus d'effort. Les joyeux, en revanche, voient facilement les bouilles gaies autour d'eux.

L'information la plus intéressante est que la capacité de voir les sourires s'entraîne facilement. Ne voir que des visages tristes n'est pas définitif. C'est une erreur de jugement et d'interprétation. Si vous vous exercez, votre œil vous laissera voir les sourires. Et si vous vous sentez entouré de visages bienveillants et souriants, vous serez de meilleure humeur.

Faites confiance à votre sens de l'humour

L'humour protège la santé. Ne méprisez pas les films ou les personnes qui vous font sourire et même rire aux éclats. Elles font du bien à votre esprit et à vos artères. Si, comme des spécialistes en humour italiens, vous voulez comprendre comment agit l'humour sur le corps, il vous faut avant tout faire la différence entre quatre formes d'humour, deux bonnes et deux mauvaises.

Les deux humours bénéfiques :
L'humour social et amical : quand vous racontez des blagues et faites rire votre entourage. Votre sourire et vos traits d'esprit mettent à l'aise ceux qui sont autour de vous.

Vous faites de l'humour social quand vous racontez des blagues à vos amis et que vous dites des phrases drôles pour engager la conversation avec des inconnus ou avec votre famille.

L'humour protecteur de soi : quand vous regardez votre vie avec humour. Même les petites bizarreries vous font sourire. En riant de ces détails, vous les supportez mieux et relativisez.

Les deux humours toxiques :

L'humour agressif : vous imposez à l'autre vos sarcasmes, votre dérision. Vous caricaturez celui ou celle à qui vous parlez et vous moquez de lui.

L'humour découragé : cet humour fait de vous la première victime de vos traits d'esprit. Vous essayez de faire rire mais ne faites que vous dévaloriser.

Autant l'humour négatif peut faire du mal, autant l'humour positif éclaire l'existence. Les adeptes de l'humour positif sont plus ouverts aux nouvelles expériences et plus heureux. Ils réussissent mieux dans leur travail et ont une vie familiale et amoureuse plus riche en émotions positives.

Certains d'entre nous peuvent user de toutes les formes d'humour – positif et négatif. Ceux-ci se portent mieux que ceux qui sont sans humour. Malgré leurs sarcasmes et leurs accès d'humour tristes, ils s'en sortent mieux que ceux qui restent sérieux.

Le sens de l'humour se découvre et se travaille, savez-vous ? Commencez avec vos proches et essayez de les faire rire. Peu importe si vos premières blagues tombent à plat ou n'arrachent qu'un demi-sourire, vous êtes en rodage. Très vite, vos histoires et vos traits d'esprit vont s'affiner et votre entourage s'habituera à ce que vous les fassiez rire. Chaque fois, votre adrénaline baissera et votre sérotonine augmentera.

> **Un peu d'humour pour inspirer les débutants**
> Il faut être riche à tout prix, même si on doit vendre tout ce que l'on possède.
> On ne prête qu'aux riches et on a raison. Les pauvres remboursent difficilement.
> Le paresseux est plus loyal que les autres hommes, il ne fait pas semblant de travailler.
> Tristan Bernard

Apprendre à oublier en vacances

Pour rester en forme, il faut une bonne dose d'oubli. Et savoir oublier est une des conditions de l'aptitude au bonheur. Que serait un été réussi sans oubli de l'hiver à venir ? Comment partir guilleret en vacances sans oublier que les vacances ne vont pas durer ? Sitôt en vacances, vous pouvez commencer par les omissions les plus simples. Vous ne pensez plus à votre travail, ni aux soucis, ni aux menaces qui pèsent sur votre vie professionnelle. Ne pensez plus à votre santé ou votre sécurité. Vous allez voir, votre bonne humeur va augmenter, en même temps que progresse votre capacité d'oubli.

Je rencontre beaucoup de personnes qui se plaignent de trop oublier et qui font des exercices de mémoire. Ils apprennent des listes de mots pour éviter l'Alzheimer. Ils tombent de la lune quand je leur propose plutôt d'apprendre à oublier pour rester en bonne forme.

Se laisser aller à oublier est un plaisir sans limites – il est d'ailleurs plus naturel d'oublier que de nous souvenir.

Vous passez votre année à essayer de vous souvenir de tout. Entraînez votre oubli en vacances. Cet oubli volontaire va devenir votre allié quand il vous faudra mettre à distance un moment gênant ou traumatisant de votre passé. La vie de couple a elle aussi besoin d'oubli volontaire. Si votre vie de couple est agréable, vous oubliez sans même vous en rendre compte les mésententes ou reproches. Vous la protégez par un oubli sélectif.

En vacances, plus vous oublierez les soucis de l'année passée et ceux à venir, plus vous vivrez intensément votre été. Et ne vous étonnez pas si même en vacances votre filtre d'oubli laisse passer quelques idées ou quelques images tristes. On n'oublie jamais complètement. On met à distance... ce qui est déjà un très bon début.

Sea, Sex and Sun

Il n'y a pas que les magazines qui proposent l'été des couvertures sur la sexualité. Chacun de nous ressent mieux la présence de son corps l'été. Est-ce l'effet du repos des vacances, de la lumière, d'un rythme plus tranquille ? Toujours est-il que l'été est une saison dans laquelle les sens s'éveillent. On est plus réceptif à l'amour et à la sexualité.

Pourquoi la sexualité fait du bien, en été comme en toute saison

Elle rend optimiste.
Elle crée des sensations positives.
Elle augmente l'estime de soi.
Elle crée des contacts et incite à ne pas rester seul.
Elle fait baisser l'adrénaline et toutes les molécules du stress.
Elle nourrit une relation au corps plus tranquille et plus apaisée…

L'été à Alger d'Albert Camus

« Non... n'allez pas là-bas [à Alger en été] si vous vous sentez le cœur tiède et si votre âme est une bête pauvre ! Mais pour ceux qui connaissent les déchirements du oui et du non, du midi et des minuits, de la révolte et de l'amour, pour ceux enfin qui aiment les bûchers, il y a là-bas une flamme qui les attend. »
Albert Camus, *L'Été*.

Pourquoi les femmes engagées font-elles plus l'amour ?

La spiritualité et toutes les formes d'engagement stimulent l'amour. L'effet est surtout net chez les femmes. Celles qui sont les plus concernées par des valeurs religieuses, politiques ou spirituelles sont plus ouvertes à l'amour. Elles ont plus de libido, vivent l'amour avec plus de fougue et font plus souvent l'amour. Les femmes fidèles aux valeurs de leur famille et au souvenir de leurs parents ou de leurs grands-parents disparus sont elles aussi plus sensibles à l'amour et à la sexualité. Ces engagements permettraient donc d'investir l'instant présent en général et les relations amoureuses en particulier.

Les femmes impliquées dans leur travail sont plus à l'écoute de leur corps. Elles perdent davantage la tête quand elles sont amoureuses jusqu'à ne plus avoir la notion de l'endroit où elles se trouvent.

Cet effet de l'engagement et de la spiritualité sur l'amour vient d'être confirmé par un laboratoire portugais. Il a présenté à des femmes une séquence de quatorze minutes d'un film romantique se passant à la plage. Dès la fin du film, on a mesuré l'excitation et le désir des femmes portugaises. Celles qui avaient le plus d'engagement spirituel et celles qui investissaient le plus l'instant présent se révélaient être les plus sensibles au film romantique. Qui aurait dit qu'il fallait, pour se préparer à l'amour l'été, cultiver ses engagements, sa foi et son attention à l'instant présent ?

Se lever trente minutes plus tôt les trois derniers jours des vacances

Pour profiter des bienfaits de vos vacances, mieux vaut, trois jours avant la rentrée, vous réhabituer à vous lever tôt. Un chercheur du Collège de la Yafo, banlieue de Tel-Aviv, en Israël, vient de s'apercevoir que l'on est plus en forme et de meilleure humeur quand on se lève tôt. Le sommeil bien rythmé diminue l'angoisse et augmente l'énergie. Il est bien normal de profiter en vacances de soirées plus longues et de grasses matinées. Si on le garde toute l'année, ce rythme « du soir » nuit au moral et à la concentration. Celles et ceux qui continuent de se coucher tard après les vacances sont plus anxieux le soir. Ils sont plus exposés à la procrastination : ils remettent plus facilement au lendemain ce qu'ils devraient faire. En dehors des vacances, les longues soirées ne sont pas des moments si agréables. On s'expose à des grands débats intérieurs, à des examens de conscience, à des ruminations.

Alors, profitez autant que vous voulez de vos soirées pendant les vacances, mais, les trois derniers jours, recalez-vous. Vous allez retrouver votre horaire habituel de réveil en 72 heures. Il suffit de vous entraîner à vous coucher trente minutes plus tôt chaque jour pendant les derniers jours de vacances. Dès la rentrée, vous n'aurez aucun mal à retrouver votre rythme matinal qui vous rend productif et de bonne humeur.

La vraie paresse

« La vraie paresse, c'est de se lever à 6 heures du matin pour avoir plus longtemps à ne rien faire. »
Tristan Bernard

VOTRE JOURNÉE
DE BONNE HUMEUR EN ÉTÉ

Matin

Commencer son entraînement ABE pour voir de la
beauté partout

Regarder le bleu et le vert autour de soi

Emporter son optimisme avec soi pour le golf ou
le tennis

Bouger sans s'épuiser

Se lever trente minutes plus tôt les trois derniers
jours des vacances

Midi

Commander une salade plutôt qu'un hamburger-
frites

Remplacer le soda par du thé glacé

Après-midi

S'entraîner à oublier les soucis de l'année et ceux
à venir

Ne pas se trouver trop vieux pour une petite folie…
et ne pas avouer son âge

Soirée

Lever le nez de l'ordinateur pour guérir de sa *Face-bookcrastination*

Organiser un barbecue avec des voisins ou des amis

Écouter avant de dormir le *Concerto pour piano* Tchaïkovski

UN AUTOMNE
DE BONNE HUMEUR

« Tant que vous n'avez pas été
embrassé par un de ces pluvieux
après-midi parisiens, vous n'avez
jamais été embrassé. »

Woody Allen

Le titre de ce dernier chapitre vous paraît peut-être provocateur. Qui peut vraiment croire à la bonne humeur automnale ? La météo n'est plus aussi stimulante qu'en été. Les contraintes vous retombent dessus. Elles sont parfois pires qu'avant de partir en vacances. Et votre moral en prend un coup supplémentaire quand on vous demande si vous avez bien profité de votre été. À fond vraiment ? Avez-vous bien rechargé vos batteries ? Êtes-vous prêt à repartir du bon pied ? Comme si ça ne pouvait pas être le cas ! Avec tout cela vous allez avoir du mal à adorer la rentrée. Je fais quand même le pari que votre automne va être une saison d'expériences positives, pleine de bonne humeur.

UN CORPS
EN PLEINE FORME

Sardines et magnésium

Le magnésium est le secret d'un automne en bonne forme. Il augmente la production des hormones de la bonne humeur ; il diminue celles du stress et calme l'axe entre l'hypophyse et le cerveau qui produit de l'adrénaline. Quand cet axe s'active, les glandes situées au-dessus des reins, les surrénales, fabriquent des molécules de stress, et quand il est calme, la tranquillité s'installe. Non seulement le magnésium met la fabrique d'adrénaline au repos, mais il agit aussi comme un anti-inflammatoire dans tout le corps et en particulier dans le cerveau.

Il n'est pas facile de savoir si l'on est ou non en manque de magnésium en le dosant dans le sang. Les dosages coûtent cher et sont finalement peu utiles. La meilleure politique de bonne humeur et de bonne santé consiste à consommer suffisamment de magnésium tous les jours. Cet ion un peu magique pour l'humeur se retrouve dans beaucoup d'aliments qui sont indispensables en automne tels que :
— les sardines à l'huile (460 mg/100 g)
— la noix du Brésil (360 mg/100 g)
— les noix de cajou (240 mg/100 g)
— les amandes (230 mg/100 g)
— le chocolat noir (200 mg/100 g)

– les cacahuètes (160 mg/100 g)
– le pain de mie complet (160 mg/100 g)

Un institut de santé publique finlandais a suivi pendant cinq ans, entre 1984 et 1989, des hommes âgés de quarante à soixante ans. Ceux qui consommaient 500 mg de magnésium par jour pendant toute la durée de l'expérience faisaient moitié moins de dépression. Leur hypothalamus empêchait leurs surrénales de fabriquer de l'adrénaline en trop grande quantité. Avec moins d'adrénaline, leur cœur était plus calme, leurs vaisseaux plus dilatés et ils ressentaient moins de stress.

Un autre effet bénéfique du magnésium concerne les neurones : il augmente le facteur de croissance des neurones, qui permet aux cellules du cerveau de se régénérer. Enfin, le magnésium agit comme un vrai antidépresseur en augmentant la quantité de sérotonine dans le cerveau et en stimulant ses récepteurs. Pour toutes ces raisons, si vous souhaitez conserver forme et bonne humeur, le retour de vacances aura un goût de chocolat noir, d'amande et de sardine à l'huile.

Les petites cellules grises
et la substance blanche

Les cellules de notre cerveau sont appelées des neurones. Elles ont un corps qui produit des neuromédiateurs et des fibres qui sont comme des bras très longs pour communiquer avec les autres neurones. Par exemple, quand nous bougeons un bras ou une jambe, l'influx part du corps du neurone, qui est dans le cerveau. Il va jusqu'à la jambe ou au bras grâce à un câble de connexion : un axone entouré de myéline. La myéline est une couche de graisse qui protège les nerfs (ou les bras des neurones) et leur permet de travailler.

Le corps des cellules du cerveau constitue la substance grise. Les fibres des cellules sont blanches et forment donc la substance blanche. Agatha Christie avait bien fait la différence entre substance grise et substance blanche. Quand Hercule Poirot, son détective, commençait à réfléchir à la solution d'une enquête, il activait ses petites cellules grises (ou substance grise). Le cortex, le corps des neurones, est important car c'est de là que partent toute la réflexion, les projets et l'action. Mais sans la substance blanche qui envoie les messages au reste du corps, le cerveau ne servirait pas à grand-chose.

Huile de tournesol, oméga 3 et santé des neurones

Les acides gras omégas 3 vont maintenir votre cerveau et votre moral en forme en agissant sur la substance blanche (les axones ou bras de vos neurones). Quand vous consommez suffisamment d'acides gras omégas 3, vous fortifiez la myéline (la gaine entourant les bras des neurones). Si la myéline n'est pas renforcée par les acides gras omégas 3, le centre du cerveau et le corps des neurones continuent de travailler mais leurs messages ne sont pas transmis. Les graisses constitutives de la myéline sont des molécules très raffinées que l'on trouve dans l'huile d'anchois, de sardine et de maquereau.

Il vient d'être démontré que la myéline des déprimés manque d'acides gras omégas 3. Quand on leur donne ces précieux acides gras, les déprimés sont en meilleure forme et leur myéline se répare comme par miracle. En six semaines, les images de la myéline se modifient – c'est visible à l'IRM – et le moral s'améliore. Pour aller bien, nous avons donc particulièrement besoin des acides gras omégas 3.

Les deux acides gras-clés de la bonne humeur sont l'acide docosahexaénoïque (DHA) et l'acide eicosapentaénoïque (EPA).

Les aliments les plus riches en DHA sont :
– l'huile de tournesol,
– l'huile de noix,
– l'huile de pépin de raisin,

- l'huile de sésame,
- l'huile d'arachide,
- les noix de pécan et les noix du Brésil.

Les sources d'EPA sont le jaune d'œuf cru et l'huile de foie de morue.

Pour faire le plein en omégas 3, il est préférable de manger régulièrement des petits poissons comme la sardine, le maquereau, le hareng, les anchois. Le saumon et les autres gros poissons, également riches en omégas 3, risquent d'être contaminés par du mercure ou d'autres polluants. La manière de cuire le poisson est elle aussi importante. La friture protège moins les omégas 3 que la cuisson à la plancha, à la vapeur, au court-bouillon ou au four.

Avec des salades à l'huile de tournesol ou à l'huile de noix et deux jaunes d'œuf crus par semaine, vous fortifiez facilement la gaine de myéline de vos chers neurones. Cette myéline, bien protégée par vos omégas 3, aidera les différentes parties de votre cerveau à résister au stress.

Vous avez autant besoin des deux omégas 3, l'EPA et le DHA. L'acide gras oméga 3 EPA facilite l'entrée dans le cerveau de son complice le DHA. Une fois entré dans le cerveau, le DHA renforce la gaine des nerfs.

Vous voyez, rien de plus simple qu'une bonne huile dans sa salade et deux œufs crus par semaine pour entretenir ses neurones. Plus vous avancez en âge, plus vous devez veiller à ces acides gras omégas 3. Après cinquante ans, ils protègent en plus votre mémoire et pourraient prévenir des démences comme la maladie d'Alzheimer. Plutôt que d'essayer de garder votre bronzage qui de toute manière s'en ira après les vacances, faites donc du bien à votre substance blanche et à votre corps.

> **Pierre Dac et la matière grise**
> « Si la matière grise était plus rose, le monde aurait moins les idées noires. »
> Pierre Dac

Comment un aliment nouveau réveille la libido

Vous souffrez du blues de l'automne ? Vous perdez un peu de votre enthousiasme, de votre désir et de votre bonne humeur ? Mangez donc un plat que vous n'avez jamais goûté avant. Tentez un restaurant nouveau. Vous en serez tout stimulé et requinqué. Ce conseil vient de l'Université du Texas aux États-Unis. Elle a découvert un lien étonnant entre la « néophobie » alimentaire et le dégoût pour la sexualité. La néophobie alimentaire frappe celles et ceux qui ont peur de manger des plats qu'ils ne connaissent pas encore. Au printemps, vous avez découvert que la néophilie rend plus heureux que la néophobie... vous allez voir maintenant comment la nouveauté relance aussi la libido.

La néophobie a longtemps protégé l'humanité de bien des malheurs. Elle a permis à nos ancêtres de se tenir à distance des aliments toxiques pour eux. Tout a commencé au jardin d'Éden avec Adam et Ève qui n'ont pas respecté un interdit alimentaire et vous connaissez la suite. L'Homme et la Femme ont été chassés du Paradis. L'un a dû gagner son pain à la sueur de son front et l'autre accoucher dans la douleur... Remarquez, la néophobie alimentaire n'est pas une angoisse propre aux êtres humains, les rats sont encore plus méfiants que nous face à tout aliment inconnu. Ils en goûtent un tout petit morceau et en surveillent les effets sur leur organisme. Si tout se passe bien, ils continuent.

Pour les hommes et les femmes, la néophobie alimentaire est plus flagrante devant un nouveau produit d'origine animale – on a moins peur de consommer un légume inconnu qu'une viande à laquelle on n'a encore jamais goûté.

Une découverte récente démontre que les dégoûts alimentaires sont des révélateurs du comportement sexuel. Moins vous avez envie d'aliments nouveaux, moins vous êtes ouverts aux expériences nouvelles, y compris pour la sexualité. À l'extrême, celles et ceux qui mangent toujours le même repas risquent davantage d'être dégoûtés ou gênés par la sexualité.

Le lien entre néophobie et sexualité est particulièrement net chez les hommes. Quand une femme veut relancer la libido de son compagnon, elle peut et doit sans doute l'inciter à tester de nouvelles sensations culinaires. Son goût pour la nouveauté, éveillé par un plat, le conduira naturellement à l'envie d'autres expériences, y compris sensuelles. Chez les femmes, la routine alimentaire est moins corrélée au dégoût sexuel. Malgré tout, proposer à une femme de nouveaux plats, de nouvelles saveurs dans un restaurant inconnu est une manière de stimuler son désir.

Enfin, les hommes qui sont les plus enclins à goûter de tout et qui changent chaque jour de repas sont aussi les plus séducteurs, les plus à la recherche de sensations fortes, de nouveaux partenaires et de nouvelles expériences. Autant le savoir...

Des algues et des champignons japonais plutôt que du riz

Deux cents ouvriers japonais ont participé à une enquête sur le lien entre bonne humeur et régime alimentaire. Une fois de plus, on s'aperçoit que certains régimes sont plus ou moins bénéfiques à la bonne humeur. L'alimentation des Japonais gais ou tristes était différente.

Les Japonais de meilleure humeur mangeaient plus, et plus souvent :
– des champignons,
– des algues,
– des dérivés du soja (lait de soja, sauce soja...),
– des pommes de terre,
– des fruits.
Et ils ne mangeaient que très peu de riz.

Ces résultats confirment ceux d'autres enquêtes japonaises qui suggéraient que les champignons, les algues et le soja étaient des antidépresseurs naturels. Car ces trois aliments sont riches en folates, en magnésium et en zinc, eux-mêmes producteurs d'hormones de la bonne humeur.

À présent, quand vous irez au restaurant japonais, vous saurez quoi choisir pour vous composer un menu euphorisant. Vous pouvez aussi ajouter à votre alimentation de tous les jours quelques champignons japonais, un peu d'algues et des produits riches en soja. Ils contiennent toutes les molécules dont vous avez besoin pour maintenir en forme votre propre fabrique cérébrale de bonne humeur. Et si vous n'avez pas l'habitude de ces produits, ils risquent aussi, en s'attaquant à votre néophobie, de donner un coup de fouet à votre libido.

Attention : si vos champignons japonais sont des shiitaké, cuisez-les suffisamment. Ceux qui les mangent crus risquent des réactions toxiques sur la peau. L'hypothèse est que le lentinane, un sucre contenu dans le champignon, irrite la peau. La réaction toxique apparaît trois jours environ après la consommation des champignons crus ou mal cuits. Mais si vous les laissez cuire assez longtemps, vous ne prenez aucun risque et vous adoptez le même régime que celui des Japonais de meilleure humeur.

La meilleure façon de mâcher

L'impression d'être rassasié ne dépend pas seulement du nombre de calories de chaque repas. Le temps passé à mâcher les aliments est aussi important que la quantité de nourriture. En mâchant correctement, et assez longtemps, vous aidez votre estomac et votre intestin qui digéreront plus facilement les petits morceaux qu'ils reçoivent. Quand vous avalez trop rapidement un repas gras ou sucré, vous n'êtes pas rassasié. C'est l'effet hamburger : le premier sandwich terminé, vous avez envie d'un autre.

Mâcher ses aliments n'est pas un comportement naturel ou spontané. Quand nous avons faim, nous avons envie de nous caler et d'avaler en une fois. Il faut accomplir une action volontaire pour mâcher le plus longtemps possible. Essayez quand même. Vous en ressentirez les effets sur votre ligne et votre humeur. Vous vous lèverez de table plus rassasié, plus apaisé et finalement plus heureux.

Les protocoles de « mâchonnement volontaire » sont plus imaginatifs les uns que les autres. Les experts de l'alimentation antidéprime ne manquent pas d'idées pour vous donner des conseils sur la meilleure manière de mâcher. Voici les plus sérieux. À vous de tester celui qui paraît le plus acceptable pour vous :

– Mâcher dix fois les cinq ou dix premières bouchées de son repas.

– Faire dix secondes de pause entre chaque bouchée au début du repas (pour les cinq ou dix premières bouchées).

– Choisir un premier plat consistant devant être mâché longuement (par exemple du pain complet ou des aliments fibreux).

– Séparer son repas en dix portions que l'on mâche chacune quarante fois (un conseil à réserver aux mâcheurs les plus frénétiques !).

– Mâcher dix fois ou même quarante fois chaque part d'une pizza. (Il faut bien du courage. Je n'ai jamais essayé ni conseillé quarante mâchouillements de suite.)

Toutes ces méthodes produisent à peu près le même effet. En passant plus de temps à manger, vous avez besoin de moins grandes quantités d'aliments et votre taux de sucre dans le sang augmente moins brutalement. L'insuline ne monte pas autant que quand vous avalez en une bouchée. Comme vous ne créez pas de pic de sucre brutal dans votre organisme, vous apportez de l'énergie qui va rester disponible plus longtemps. C'est pour cette raison que vous avez moins faim. La mastication fait aussi baisser une des hormones qui déclenche la sensation de faim : la ghréline. Cette hormone, produite par l'intestin, diminue quand on mastique longtemps et volontairement.

> **Il automne de Barbara**
> Il automne, à pas furtifs,
> Il automne à pas feutrés,
> Il automne à pas craquants
> Sous un ciel pourpre et doré.
> Sur les jardins dénudés
> Se reflètent en transparence
> Les brumes d'automne rouillées,
> Rouillées

La danse en pleine conscience

À chaque saison, vous avez accepté l'idée, maintenant indiscutable, que bouger fait du bien au moral. Laissez-moi vous proposer pour l'automne une nouvelle manière de bouger : la danse en pleine conscience. Elle vous rappellera les vacances et ainsi vous n'oublierez pas que vous avez un corps, même après avoir repris le travail. Vous n'avez pas besoin d'être un bon danseur ni d'avoir le sens du rythme. La danse en pleine conscience ne vise pas la performance artistique mais le bien-être. On s'y entraîne seul, sans professeur. Choisissez simplement une manière de bouger personnelle et agréable pour vous. Dansez comme vous le sentez et faites-vous plaisir. Essayez de suivre une musique en étant le plus conscient possible de chacun de vos mouvements. Si vous trouvez un ou une partenaire pour vous accompagner, c'est encore mieux. Vous serez à l'écoute de vos mouvements et de ceux de votre compagnon de danse.

Avant de commencer à danser, échauffez-vous en respirant doucement, à votre rythme, avec la conscience de vos inspirations et expirations. Pour se lancer dans la danse, il faut surmonter sa timidité. Spontanément, chacun pense qu'il ne sait pas danser, se sent maladroit, pataud, voire ridicule. Avec la danse en pleine conscience, pas besoin d'enchaîner des figures de rock ou de tango. Vous ne jugez personne, ni vous, ni votre partenaire, ni les autres danseurs. Ne recherchez pas l'exploit mais l'émotion.

Pour que l'expérience soit la plus riche possible en émotions, vous devez choisir la musique qui vous inspire le plus. Ne soyez pas trop ambitieux au début. Les grandes valses de Strauss ou les rocks trop rapides vont vous intimider. L'objectif est de faire un premier pas. Pour vous apprivoiser à l'exercice, je vous suggère une pièce pour piano assez lente, un peu nostalgique, propre à la méditation et à l'introspection. Écoutez par exemple la version pour piano de la *Pavane pour une infante défunte* de Maurice Ravel. Et si aucune musique ne vous convient, vous pouvez danser en silence, en écoutant seulement votre respiration.

Les évaluations objectives de la danse en pleine conscience confirment ses effets sur la bonne humeur. On les obtient après deux ou trois séances de quinze à trente minutes. L'effet est encore plus net si l'on continue à danser régulièrement. Vous mettez de la distance entre vous-même et vos soucis et travaillez l'harmonie entre votre corps et votre esprit. L'un bouge pendant que l'autre se détend.

Comme avec les cours de dessin en hiver, vous allez découvrir une nouvelle manière de vivre avec votre corps et celui de votre partenaire. Regardez-le simplement évoluer sur le rythme d'une musique calme. Après quelques essais, tentez des musiques plus exigeantes comme le tango. Vous pourrez même dire comme Sacha Guitry dans *Mon père avait raison* : « Le tango, je me demande pourquoi ça se danse debout. »

Appliquez la leçon de Montaigne

Si vous bloquez devant un problème compliqué, rappelez-vous que le mouvement rend créatif. On trouve plus d'idées en marchant. Le philosophe Michel de Montaigne le savait dès le XVIᵉ siècle. Il écrivait debout sur un bureau sur mesure et ne s'arrêtait pas de marcher de long en large dans sa bibliothèque. Quand il sentait que son esprit avait besoin d'un coup de jeune, il chargeait sa table et sa plume sur un âne ou un cheval et partait en voyage en Italie. Vous aussi, efforcez-vous de stimuler votre esprit par le mouvement.

Un nez sensible est de meilleure humeur

Les zones du cerveau qui contrôlent la bonne humeur et celles qui contrôlent la reconnaissance des odeurs sont très proches. Le circuit de l'odeur commence par une stimulation du nez puis du cerveau au niveau du bulbe olfactif. Celui-ci appartient au cerveau le plus ancien ou le plus reptilien. Il code les odeurs transmises par le nez et les envoie aux autres parties du cerveau. Ce bulbe olfactif est aussi une des zones-clés de la bonne humeur. Si on l'empêche de fonctionner chez un animal, on crée immédiatement un état de tristesse et de dépression.

Chez l'homme ou chez la femme, la manière dont ils perçoivent les odeurs est un indice du niveau de bonne ou de mauvaise humeur. Les déprimés ne ressentent pas les émotions agréables. Ils ne sentent pas non plus les bonnes odeurs. Quand le message olfactif est passé par le bulbe olfactif, il continue à cheminer dans le cerveau. Il se dirige vers les mêmes structures cérébrales que celles qui filtrent les émotions : l'amygdale, au centre du cerveau, et l'hippocampe. Un hippocampe actif et en bonne forme reconnaît à la fois les odeurs et les sensations agréables. Quand l'hippocampe diminue de volume ou est moins actif, on est de mauvaise humeur et l'on ne perçoit plus très bien les odeurs.

Pour retrouver en même temps votre odorat et votre bonne humeur, réapprenez à vous servir de votre nez.

Cherchez les petites odeurs

Plus vous êtes capable de reconnaître des odeurs minuscules, plus vous êtes prêt à ressentir des émotions agréables comme de la joie ou de la gaieté. Testez cette capacité avec une goutte de parfum ou une fleur que vous respirez de loin. Commencez à être attentif à ce petit signal de l'environnement. Les forêts en automne sont un endroit idéal pour muscler ses narines. Vous y sentirez l'odeur des feuilles, des herbes humides et bien d'autres impressions que vous auriez laissées passer si vous ne vous étiez pas concentré dessus.

Identifiez les odeurs

Vous ne vous contentez plus de savoir s'il y a ou non une ou plusieurs odeurs autour de vous. Essayez de les détailler et de les reconnaître. Prenez pour cela un plat ou un parfum complexe. Quelles odeurs y trouvez-vous ? Approchez-vous d'un bouquet et de vos plantes d'intérieur. Que sentent-elles ? En affûtant votre talent de chasseur d'odeurs, vous apprenez en même temps à reconnaître vos émotions.

Travaillez votre mémoire des odeurs

Vous n'êtes pas obligé de garder à l'esprit, comme l'écrivain Marcel Proust, le souvenir de toutes les odeurs de votre enfance. Mais essayer de se souvenir de quelques odeurs anciennes est une bonne pratique. Vous faites du bien à votre moral. Vous stimulez votre bulbe olfactif et votre amygdale cérébrale. Commencez par identifier une ou deux odeurs qui ont compté pour vous et qui ont été agréables. Essayez de vous rappeler à quel moment et dans quelles circonstances vous les avez déjà rencontrées. Combien de temps ont-elles duré ?

Vous pouvez aussi vous entraîner avec quatre petits flacons de parfums différents. Sentez chacun d'eux pendant quelques secondes. Laissez reposer votre nez pendant quinze secondes entre chaque flacon. Puis mélangez les flacons et tâchez de retrouver les noms des quatre parfums. Cette mémoire de l'odeur est une des caractéristiques des hommes et des femmes de bonne humeur – elle se perd en cas de déprime. On peut tout à fait supposer que la travailler est utile pour retrouver le moral.

Trouvez du plaisir aux odeurs

Le dernier temps de l'entraînement du nez est celui du plaisir. Vous commencez à être sensible aux odeurs, vous avez passé en revue des odeurs agréables ou désagréables ? Limitez-vous maintenant à celles qui vous font le plus plaisir. Cherchez-les chez vous ou à l'extérieur, en promenade ou avec les fruits et les plantes de l'automne. Classez-les de la plus agréable à la plus désagréable. Cet exercice est plus facile avec les fruits.

Grâce à cette méthode, vous sortez de l'*alliesthésie* pour entrer dans la reconnaissance des émotions agréables. L'alliesthésie est l'incapacité à percevoir le caractère agréable ou désagréable d'une expérience. Elle peut concerner le goût, le chaud, le froid, les odeurs, la vue et les sons. Si vous êtes capable de savoir ce qui vous fait plaisir et ce qui vous déplaît, vous allez bien. Vous pourrez même aller jusqu'à l'*alliesthésie positive*. Cet état producteur de bonne humeur transforme les premières sensations désagréables en moments de plaisir. Trouvez par exemple une fleur dont le parfum vous déplaît au début et vous finirez par lui trouver des qualités.

Un petit exercice pour une rentrée trop active

Depuis les vacances, vous n'avez plus le temps d'aller marcher ou de faire de l'exercice. Qu'importe, vous pouvez bouger partout. Faites quelques pas, même dans votre bureau. Vous vous concentrez sur votre mouvement. Pour le rendre plus tonique, contractez vos muscles. D'abord ceux de vos bras puis ceux de vos jambes. Ensuite, contractez la partie gauche de votre corps puis la partie droite. Vous allez sentir votre rythme cardiaque s'accélérer de même que la fréquence de votre respiration. Un peu de sueur arrive sur votre front. Après ce petit exercice de tension et de détente, tout simple, vous pourrez envisager autrement une situation qui vous semblait insoluble.

Et quand vous ne travaillez pas, utilisez tous les prétextes pour bouger un peu plus. Prenez l'escalier plutôt que l'ascenseur, attrapez votre métro une station plus loin et marchez quelques minutes. Vous pouvez en marchant continuer des exercices de contraction et de décontraction des muscles de vos bras et de vos jambes. N'hésitez pas non plus à balancer vos bras d'avant en arrière, pour donner à votre démarche et à votre esprit une plus grande dynamique. Variez les cadences de votre marche en alternant des moments calmes avec d'autres où vous allongez votre foulée pour faire les plus grands pas possible.

La méditation secrète de Luciano Pavarotti

Le théâtre et l'opéra reprennent leur activité en automne. C'est une première bonne nouvelle de la rentrée. La deuxième est que vous allez pouvoir emprunter aux chanteurs d'opéra leurs secrets pour être en forme. L'un des morceaux de bravoure des grands chanteurs est leur vibrato. Ils lâchent leur voix et offrent à leur public une note longue et vibrante. Plus la vibration est rapide, plus les amateurs d'opéra se réjouissent d'être rentrés de vacances. Le grand Luciano Pavarotti avait un vibrato à 5,5 vibrations par seconde et Maria Callas « vibrait » à 7,1 cycles par seconde dans la scène de folie de *Lucia di Lammermoor* de Donizetti.

Pour réussir cette performance, les chanteurs appliquent sans toujours le savoir une méthode de méditation. Ils se représentent le mouvement de l'air dans leur corps pendant qu'ils chantent. Ils ne se fixent ni sur leur gorge ni sur leur larynx mais ils visualisent le passage de l'air dans tout leur corps – dans la tête, le cou, le thorax et sa descente jusqu'au nombril. Au moment du vibrato, ils ne sont pas une voix mais un corps entier qui se remplit d'air et se vide en vibrant. La différence entre un bon et un mauvais chanteur vient de là. Le chanteur amateur vocalise dans sa gorge, le grand chanteur se voit comme un arbre planté dans le sol, et même ses plantes de pied vibrent sous l'effet de l'air. L'amateur produit des sons, la diva produit des images dans son esprit et du vent dans sa poitrine.

Il existe plusieurs méthodes de visualisation, mais la plus efficace est la visualisation de la respiration. Grâce à cette technique, la voix des chanteurs est plus forte, plus assurée et elle vibre à une fréquence plus rapide. Ils peuvent espérer se rapprocher des prouesses de Luciano Pavarotti et de la Callas. Cette visualisation de l'air qui traverse le corps n'est pas réservée aux chanteurs d'opéra. Elle fait du bien à tous ceux qui veulent diminuer leur stress et leur déprime. Respirez en pleine conscience et représentez-vous le trajet de l'air que vous soufflez le plus doucement possible. Sentez-le passer de votre nez à votre nombril. Si cela vous aide, chantez en même temps. Je ne vous garantis pas un vibrato d'opéra, mais je vous promets un moment de détente des muscles et de l'esprit. Vous serez de meilleure humeur encore si vous osez écouter ensuite un grand air d'opéra. Et pourquoi ne pas finir l'expérience par une petite folie d'automne et une soirée à l'Opéra ?

Réorganisez votre salle de bains

La rentrée est le moment idéal pour un ranger votre salle de bains autrement. Vous allez la transformer en usine à bonne humeur. Quelques gestes suffisent :

Enlevez le miroir grossissant : Il vous saute dessus dès le réveil et vous montre les défauts de votre peau. Avec une image sans pitié, il vous fiche le moral par terre pour la journée. Vous n'avez pas besoin de ce degré-là de précision sur vos imperfections.

Placez votre brosse à dents bien en évidence : Une bonne hygiène dentaire donne bon moral et bonne santé. Les déprimés ont plus de caries et de maladies des gencives. Leurs rages de dents les installent dans la colère et ils voient tout en noir quand leurs gencives se rappellent à leur bon souvenir. En plus, vous n'aurez plus honte de montrer vos dents, et vous sourirez plus volontiers.

Rangez loin le paracétamol : Si vous en prenez trop ou trop régulièrement, vous faites du mal à votre foie et à votre moral. Le paracétamol gomme les douleurs et les accès de joie. Il rend la vie triste et monotone. Mieux vaut chercher la cause de ses douleurs que d'essayer de les cacher avec un calmant qui plus est toxique.

UN ESPRIT
EN PLEINE FORME

Activez trois fonctions de base de votre cerveau pour passer une belle rentrée

Réveillez l'ocytocine

La première molécule du cerveau dont vous aurez particulièrement besoin à la rentrée est l'*ocytocine*. Cette hormone augmente quand nous faisons des rencontres et quand nous passons du temps à parler, échanger des idées ou débattre. Son pouvoir de stimulation est de mieux en mieux connu. Les jeunes humains et les jeunes animaux sont noyés dans l'ocytocine quand ils partent à la recherche d'un partenaire et qu'ils s'installent en couple. À la rentrée, vous pouvez stimuler votre ocytocine en cherchant toutes les occasions de rencontres tranquilles. Elles sont plus stimulantes que les dossiers difficiles sur lesquels vous travaillez seul.

Continuez à vous servir à la rentrée de l'hémisphère cérébral des vacances

Nous avons une partie sérieuse de notre cerveau – l'hémisphère majeur ou dominant – et une partie plus rêveuse et créatrice – l'hémisphère mineur, celui des vacances. Il est la base de l'intuition, de l'émotion, de la création et l'improvisation. Ne l'oubliez pas à la rentrée. Vous serez plus efficace et de meilleure humeur si vous restez à l'écoute de votre hémisphère mineur. Continuez pour cela à faire confiance à vos premières impressions, à votre fantaisie, à ce que vous ressentez, sans toujours vous laisser censurer par votre hémisphère majeur.

Faites plaisir à vos neurones miroirs

Les neurones miroirs sont des structures très archaïques du cerveau. On les retrouve chez l'homme comme chez le singe. Ils aspirent les messages de l'environnement et les intègrent. Dans un groupe triste ou angoissé, vous ressentez physiquement l'angoisse. C'est vrai aussi dans un groupe de bonne humeur. À vous de combler vos neurones miroirs à la rentrée en passant plus de temps avec vos collègues et amis les plus souriants, les plus optimistes. C'est une bonne contagion.

Reconnaissez le syndrome de la messagerie

Votre boîte mail n'est jamais neutre affectivement. Elle vous expose à un syndrome auquel personne n'échappe : le syndrome de la messagerie. Vous avez plus de cent voire mille mails à votre retour de vacances ? Comment allez-vous les ouvrir et y répondre ? Vous n'avez que quelques mails ? Que se passe-t-il ? Votre entreprise et vos correspondants habituels vous ont oublié ? Vous ne servez plus à rien ? Pour commencer à communiquer sereinement avec cet instrument de torture, appliquez quelques-uns des conseils d'une université de Caroline du Sud.

Tenez compte du mimétisme des correspondants : envoyez des mails courts pour ne pas obliger vos correspondants à passer trop de temps à vous répondre en imitant votre premier message.

Écrivez plutôt le matin et en semaine : on vous répondra plus vite et avec plus d'attention que le soir ou en fin de semaine.

Soyez tolérant avec vos correspondants les plus âgés : plus on vieillit, moins on répond vite aux mails. Après cinquante ans, vous avez besoin d'au moins 47 min pour répondre à un mail alors qu'un adolescent répond en 13 min.

Le modèle PERMA

Un groupe d'écoles israéliennes traite le stress de la rentrée par un programme original de développement des émotions positives. Leur méthode peut vous donner des idées même si vous n'appliquez pas tout. Le principe de ce programme se trouve résumé dans son acronyme : PERMA.

P : Positiver les émotions
E : Engagement
R : Relations positives
M : *Meaning* ou sens
A : *Achievement* ou réussite

Ces cinq étapes du programme PERMA vont vous aider à aimer la rentrée.

P : Positiver les émotions

Même si l'actualité ou le temps ne vous y incitent pas, cultivez quelques instants par jour vos émotions positives. À vous de les repérer, de choisir celles qui vous parlent le plus, que ce soit à l'école, à l'université, au travail ou en fin de journée chez vous.

E : Engagement

Plus vous êtes engagé dans vos études, votre travail et vos loisirs et plus ils vous apportent de plaisir et vous rechargent en bonne humeur. Votre engagement est une des clés de la santé. Il est :

– *émotionnel*, avec l'impression d'appartenir vraiment à un groupe,

– *intellectuel*, en essayant de donner le meilleur de vous-même,

– *comportemental*, par votre manière de vous tenir, de vous présenter et par votre présence.

Cherchez les situations qui vous donnent envie de vous engager. Pour les élèves et les étudiants, le travail en petit groupe motive plus que les amphithéâtres anonymes ou les salles de classe surchargées. À tout âge, le travail en groupe intéresse et engage plus que ce que l'on fait seul.

R : Relations positives

Cherchez des amis, des collègues ou des membres de votre famille avec lesquels vous vous sentez en connexion positive. Faites confiance à vos intuitions et passez le plus de temps possible avec celles ou ceux qui vous rassurent et vous font du bien. Votre détecteur d'émotions et de relations chaleureuses ne vous trompera pas. À condition bien sûr de savoir repérer les Machiavels et autres pervers narcissiques qui ne vous séduisent que par intérêt.

M : **Meaning** *ou sens*

Vous ne vivez pas que de pain. Votre travail et tout le reste de votre vie doivent avoir du sens pour vous. Toutes les causes et actions qui vous dépassent nourrissent le sens de la vie. Les étudiants qui s'engagent dans une association humanitaire, politique ou spirituelle réussissent mieux dans leurs études et sont de meilleure humeur. Ils ne perdent pas de temps en s'éloignant un peu de leurs études. Ils trouvent une énergie qui leur permettra d'y revenir avec plus d'enthousiasme. L'automne est un moment idéal pour faire le point sur les causes qui vous tiennent à cœur et sur celles pour lesquelles vous êtes prêt à vous engager.

A : **Achievement** *ou réussite*

Fixez-vous des objectifs raisonnables et atteignez-les. Entrez dans le cercle vertueux de la réussite pas à pas qui donne confiance en soi et envie de continuer. La capacité de se fixer des objectifs réalistes à court et à long termes conditionne davantage la réussite que le niveau intellectuel. On ne continue que les tâches qui nous font plaisir, nous gratifient et que nous réussissons. Celui qui se connaît le mieux et se maltraite le moins tout en se donnant des petits défis sera le plus efficace. Au passage, sa réussite le charge en bonne humeur et protège sa santé.

Les bonnes idées des pédagogues de Lisbonne

Des pédagogues portugais se sont aperçus que le comportement de leurs étudiants varie selon qu'ils sont motivés ou pas. Ils ont repéré des habitudes motivantes et d'autres qui rendent la rentrée plus difficile. Voici la liste de leurs bonnes habitudes de rentrée. Vous en trouverez bien quelques-unes à mettre en œuvre vous-même et quelques autres à proposer aux étudiants ou élèves de votre entourage.

Avant d'écrire quoi que ce soit en classe ou à l'université, je fais un plan.

Pendant le cours je m'autorise à poser des questions au professeur.

J'essaie de rapprocher ce que j'apprends dans une matière avec ce que j'ai déjà vu dans une autre matière.

Je choisis des amis avec lesquels je me sens bien et qui sont intégrés à la classe ou à l'université.

J'ose dire à mes amis et mes professeurs ce qui m'intéresse le plus et ce qui m'intéresse le moins.

Je cherche des informations pour compléter ce que j'ai appris.

Je relis mes cours même à distance des examens et des contrôles.

Je fais des suggestions pour améliorer l'ambiance de mon lycée, de mon université et je participe à la vie du lieu où j'étudie.

Une odeur d'orange ou de menthe dans la voiture

L'une des grandes menaces qui pèsent sur notre bonne humeur de rentrée, ce sont les encombrements. Je n'ai hélas pas de recette magique pour vous faire éviter les bouchons. Rien ne vous empêche, même dans votre voiture, de profiter des bienfaits de la musique. Vous aurez tout le loisir d'écouter les morceaux stimulant la bonne humeur présentés dans le livre. Une touche de parfum en plus pourrait vous aider. L'odeur ne doit pas être trop forte pour ne pas donner mal à la tête ou étourdir. Un parfum dans la voiture rend plus attentif à la route et moins anxieux. On a même pu démontrer que les conducteurs freinent plus rapidement devant un obstacle quand la voiture est parfumée.

Les odeurs le plus souvent testées sont les parfums d'orange, de lavande et de menthe. Un laboratoire malaisien vient de mesurer les émotions ressenties par les conducteurs quand on parfume leur voiture.

Leurs résultats font préférer la lavande, l'orange et la menthe comme parfum anti-encombrements de rentrée. Pour la lavande, les résultats sont plus mitigés. Certains ressentent du calme et d'autres de la déprime.

Quelles photos de vacances faut-il partager ?

Les universités américaines d'Harvard et du Vermont ont analysé des centaines de milliers d'images Instagram, et y ont repéré des indices prédictifs de déprime.

Les futurs ou actuels déprimés postent des images aux couleurs plus froides, à la luminosité plus sombre. Leurs photos sont moins partagées et moins « likées ». Enfin, les déprimés diffusent des autoportraits sans amis autour d'eux.

Au vu de ces résultats, quand vous publierez vos images de vacances, choisissez-les avec soin et préférez :
– des couleurs brillantes
– une bonne luminosité
– des portraits de vous-même entouré d'amis plutôt que des selfies solitaires et moroses

---

La méthode Coué
contre les pensées tristes de l'automne

C'est en découvrant le pouvoir du placebo que le pharmacien Émile Coué de la Châtaigneraie a eu l'idée de sa fameuse méthode Coué. Émile Coué vendait à ses clients de l'eau distillée et des bonnes paroles. Le mélange des deux faisait des miracles. Les adeptes de la méthode Coué se répétaient : « Je vais bien.

237

Je vais mieux. Je vais de mieux en mieux. » Et ils allaient effectivement mieux, à force d'autosuggestion et de confiance dans la méthode.

Pour Coué, les maladies de l'esprit relèvent de l'imagination. Elles cèdent face aux paroles positives que l'on se répète. L'idée de cet autoconditionnement « actif » et volontaire a beaucoup plu dans les années 1920. Elle a séduit jusqu'à l'extrême droite nationaliste – « Quand on veut on peut », disait Maurice Barrès.

Aujourd'hui, la méthode Coué ressemble à un ancêtre de la méditation et de l'autohypnose. Les pensées d'Émile Coué restent pleines de bon sens. Elles encouragent à la bonne humeur et rappellent le pouvoir de la voix intérieure et des mots que l'on prononce. Nous ne sommes pas très loin d'un mantra qui éloigne des soucis quotidiens. Vous pouvez les lire et au besoin vous les répéter à voix basse ou à haute voix comme le conseillait le pharmacien.

« Ce ne sont pas les années qui font la vieillesse mais l'idée qu'on devient vieux. »

« Ayez la certitude d'obtenir ce que vous cherchez et vous l'obtiendrez. »

« Ne dites jamais je vais essayer de mais je vais faire. »

« L'homme est ce qu'il pense. »

« Plus vous faites de bien aux autres, plus vous vous en faites à vous-même. »

« La première faculté de l'homme est l'imagination. »

« L'imagination peut être conduite. »

Changer lentement, ou brutalement ?

Il existe en psychologie deux manières de changer son comportement et d'affronter ce qui fait peur :
– l'habituation progressive,
– l'immersion.
Dans un cas, on avance à chaque pas et on prend le temps de se rassurer avant le prochain. Dans l'autre cas, on décide un jour de se jeter à l'eau.
Ces deux manières de changer s'appliquent à tout ce qui nous fait peur :
– les sédentaires qui se mettent à l'exercice physique,
– les dévoreurs de frites qui font entrer des légumes verts dans leur cuisine,
– les solitaires qui s'obligent à rencontrer des inconnus…

Comme je vous l'ai déjà dit, nous disposons maintenant d'un bon marqueur du niveau de stress, en mesurant le taux de cortisol dans la salive. Le cortisol qui augmente apporte la preuve biologique que vous êtes inquiet ou mal à l'aise. Un psychologue allemand a eu l'idée de doser le cortisol chez des anxieux voulant changer et chez des thérapeutes qui les accompagnaient. Il a comparé les effets d'un changement brutal ou progressif sur le cortisol des uns et des autres.

La vaisselle en pleine conscience

L'université de Floride aux États-Unis a proposé à cinquante étudiants de se détendre en f...sant la vaisselle. Elle a divisé les étudiants en deux groupes : un groupe conscient et un groupe distrait. Le groupe conscient avait appris à se concentrer sur l'instant présent. Ils étaient à l'écoute de toutes leurs sensations. Ils percevaient la chaleur de l'eau et la couleur des assiettes. Le groupe distrait n'a reçu que des informations sur le savon et la vaisselle en général. Chaque étudiant a lavé dix-huit plats. Les laveurs de vaisselle en pleine conscience ont vu leur niveau de stress diminuer de 27 %.
Tentez l'expérience un jour où vous êtes particulièrement énervé et mesurez l'effet de la vaisselle sur votre bonne humeur. Si votre concentration augmente lorsque vous vous parlez, n'hésitez pas. Décrivez chacune de vos actions : « Je prends le plat, je prends l'éponge, je mets du liquide vaisselle, je tourne l'éponge, je rince… »
La psychologie moderne sait se servir du savon comme antidépresseur naturel et s'intéresse beaucoup au pouvoir comme à la couleur des assiettes !

Dans les deux protocoles (changement brutal ou progressif), le stress des anxieux et le cortisol de leur salive ont peu augmenté. La seule différence était chez les thérapeutes – moins stressés quand ils proposaient un changement progressif. Contrairement à ce qu'on pourrait croire, les changements brutaux ne sont pas tellement stressants pour ceux qui les mettent en œuvre. C'est l'entourage – soignant, amical ou familial – qui est le plus étonné et même parfois inquiet face à un changement de comportement. Pour ce programme d'automne, je vous propose de ne pas maltraiter votre cortisol et celui de vos proches. Si vous décidez de changements, préférez-les tranquilles et progressifs.

Le blues de l'anniversaire

Celles et ceux dont l'anniversaire tombe en automne cumulent les facteurs de stress. Ils subissent en même temps la rentrée et le moment d'angoisse inévitable le jour où l'on prend un an de plus. Ce stress de l'anniversaire existe et commence à être reconnu. Mes consultants et mes amis m'en ont souvent parlé et, personnellement, je ne suis jamais très détendu le jour de mon anniversaire. Les psychiatres de Tokyo ont même retrouvé des pics de suicide chez les Japonais au moment de leur anniversaire. Certains âges exposent plus au blues de l'anniversaire que d'autres. Chez les plus de soixante-quinze ans, le mois précédant l'anniversaire représente une zone de forte turbulence, avec un pic de stress le jour de l'anniversaire. Les plus âgés voient s'activer leur peur de vieillir, de mourir ou de tomber malades.

Quoi qu'ils en disent, les hommes sont encore plus sensibles à cette étape que les femmes.

Selon les psychologues japonais, les hommes et les femmes mariés sont plus stressés avant et après la date fatidique. Les célibataires sont plus atteints dans leur bonne humeur le jour même. Et l'angoisse post-anniversaire se retrouve chez les plus jeunes et les plus déprimés qui, s'ils attendaient une révolution, un grand soir et un grand matin, s'aperçoivent tristement que rien n'a changé. Chez les femmes, la période de blues maximal se situe dans les sept à onze jours précédant l'anniversaire. Les hommes mariés sont les plus sensibles aux changements d'âges symboliques comme les trente ans, quarante ans et même les quatre-vingt-dix ans.

Une fois que l'on a reconnu le blues de l'anniversaire, voici quelques moyens de le supporter :

En le reconnaissant. Ce qui est connu se vit mieux que ce que l'on n'ose pas s'avouer.

En le considérant comme ce qu'il est, c'est-à-dire comme une réaction normale.

En limitant la tendance aux bilans et aux inventaires de vie dangereux autour de cette date.

En ne donnant pas aux anniversaires un pouvoir magique. Changer d'âge ne modifie ni son cerveau, ni son travail.

En choisissant la manière de fêter son année supplémentaire : soit discrètement soit en petit ou en grand comité. Aucun de nous n'a besoin de s'obliger à accepter des fêtes dont il n'a pas envie, qui multiplient le niveau de stress.

En le fêtant de manière décalée, à distance. Pourquoi ne pas célébrer un anniversaire d'automne avec une fête de printemps ?

Résilience d'automne

Voici une méthode, proposée par le sociologue israélien Aaron Antonovsky, qui vous sera très utile pour muscler votre résilience. On résiste mieux aux soucis, aux accidents et aux maladies en trouvant une cohérence à sa vie. Le sens de cohérence de la vie repose sur trois piliers :

1. Ce qui m'arrive est compréhensible.
Même si les événements sont déplaisants, même si ce sont de mauvaises surprises, je perçois ce qui m'arrive. Je ne me cache pas la réalité et je ne cherche pas des causes irrationnelles.

2. Je peux relever des défis même quand une situation est difficile.
Je possède en moi suffisamment de qualités pour affronter les épreuves même les plus dures. Je ne suis pas sûr de gagner mais j'ai au moins la possibilité de me battre.

3. Le sens de la vie
Ce qui m'arrive a du sens et si je ne le comprends pas tout de suite j'ai les ressources pour réfléchir. Je peux trouver en quelques jours un sens aux épreuves que je subis.

> Face à un deuil ou une maladie, chacun est sidéré, pétrifié. Ceux qui trouvent une cohérence à leur vie rebondissent plus vite. Ils luttent ou s'adaptent. Ils sont moins exposés à l'anxiété et à la déprime. Ils sont de meilleure humeur et ont une plus longue espérance de vie. Enfin ils sont plus optimistes et plus bienveillants avec leur famille et leurs collègues.

Les bienfaits de la chorale

Chanter est un vrai traitement antidépresseur naturel. Nous l'avions vu avec le karaoké. Nous retrouvons ses bienfaits avec la chorale. Si vous apercevez des annonces de chorales qui se créent à la rentrée, de groupes qui se constituent, n'hésitez pas. Vous allez prendre une décision importante pour votre moral et votre santé en vous y inscrivant.

L'Université de Londres vient de confirmer l'action bénéfique du chant. D'après cette étude, chanter en groupe est une source inépuisable d'euphorie et a en plus un effet antidouleur.

Vous hésitez entre petite ou grande chorale ? Choisissez librement. Les deux font autant de bien. Vous ressentirez autant d'émotions positives et augmenterez vos endorphines en chantant en groupe ou en chœur. Quelle que soit la taille de la chorale, vous serez de meilleure humeur et moins sensible à la douleur.

La musique fait du bien quand on la pratique seul et elle fait encore plus de bien en groupe. Elle stimule le cerveau et fait partager des moments agréables.

Si vous n'êtes pas encore tout à fait prêt à vous inscrire dans un chœur, commencez par chanter seul sous votre douche ou ailleurs. Vous stimulez votre cerveau par le rythme et les sons que vous produisez. Qu'importe si votre entourage se plaint que vous chantiez faux, trop fort ou trop longtemps. Dites-leur que vous soignez votre moral. Vous gâterez vos neurones et leur enverrez un petit flash de morphine cérébrale en toute légalité.

Les Feuilles mortes ou la chanson de Jacques Prévert

Oh ! je voudrais tant que tu te souviennes
Des jours heureux où nous étions amis.
En ce temps-là la vie était plus belle,
Et le soleil plus brûlant qu'aujourd'hui.
Les feuilles mortes se ramassent à la pelle.
Tu vois, je n'ai pas oublié…
Les feuilles mortes se ramassent à la pelle,
Les souvenirs et les regrets aussi
Et le vent du nord les emporte
Dans la nuit froide de l'oubli.

Méditation expresse de rentrée

Les effets des longues séances de méditation sont avérés. Elles permettent de faire le plein d'émotions positives. Elles développent les qualités du cerveau comme la concentration et la mémoire. La nouveauté dans le domaine est qu'une brève séance de méditation fait autant de bien qu'un entraînement plus prolongé.

Le département de psychologie de Bâle vient de mettre au point la séance de méditation expresse. Vous n'avez plus d'excuse pour ne pas l'essayer. Malgré la pression de la rentrée, trouvez quelques minutes pour méditer. Vous pouvez vous y mettre seul, à deux ou en groupe. Les étapes en sont bien codifiées :

Commencez par fixer votre attention sur votre respiration. Inspirez et expirez lentement, et volontairement. En vous intéressant aux mouvements de respiration, vous laissez à distance toutes vos autres pensées, angoisses et réflexions. Écartez les motifs de distraction ou de stress et débranchez tout ce qui pourrait perturber votre attention, comme le téléphone ou une alarme.

Pour vous concentrer encore mieux sur votre respiration, ***fermez les yeux et évaluez la température de votre corps.*** Vous vous rendez compte de la pression que vous faites peser sur vos pieds et sur les autres parties de votre corps en étant assis. En même temps, essayez de visualiser et de ressentir le passage d'un flux d'air entre votre bouche et vos lèvres.

Dès que l'esprit bat la chamade et part vers d'autres thèmes que ceux de votre méditation, ***ramenez-le à votre respiration***.

À la fin de la séance, ***concentrez-vous une dernière fois*** sur la pression que vous exercez sur vos pieds.

L'ensemble de la séance doit durer vingt minutes. Vous commencerez à en ressentir les effets au bout de trois jours, à raison d'une séance par jour. En trois jours, vous allez voir vos capacités d'attention s'améliorer. Vous vous concentrez mieux. Vous augmentez votre fluence verbale. Par exemple, vous êtes capable de trouver en une minute plus de mots commençant par une lettre de l'alphabet tirée au sort. Votre « fluence de dessins » progresse elle aussi. Après trois séances de méditation, il vous est plus facile de dessiner des figures géométriques.

Tous les volontaires suisses qui ont participé à ces méditations expresses se sont sentis plus détendus et de meilleure humeur. Ils ont pris du plaisir à l'expérience. Comme pour d'autres techniques, l'anticipation joue son rôle. Il nous arrive ce à quoi nous nous préparons. Celles et ceux qui attendaient de l'expérience un effet positif l'ont ressenti. N'en déduisez pas pour autant que la méditation n'a qu'un effet placebo. Même l'imagerie par résonance magnétique confirme que les neurones sont plus actifs et plus connectés quand on sait méditer.

> **Sourire à l'automne**
> JACQUES : Souriez, d'autant que le rire est le propre de l'homme, tout de même.
> ALDO : C'est pas à toi, cette phrase.
> JACQUES : Non, mais ça fait plaisir à entendre.
>
> Dialogue de Jacques Brel et Aldo Maccione dans *L'Aventure c'est l'aventure*.

Six bonnes émotions à trouver au musée

Vous étiez allé au musée en hiver voir les *Coquelicots* de Claude Monet ? Pourquoi ne pas y retourner cet automne avec comme guide de visite les conseils du psychologue anglais Alain de Botton ? Cet écrivain et artiste avait raconté, il y a quelques années, comment Marcel Proust peut changer votre vie. Il vient de décrire les six émotions de base à rechercher dans un musée pour muscler sa bonne humeur.

Le mode d'emploi de son travail est assez simple. Étudiez les six émotions chez vous. Notez-les sur une fiche. Dès votre entrée dans le musée, cherchez les toiles qui y correspondent le mieux. Ne vous précipitez pas comme tout le monde sur le chef-d'œuvre du musée ou la toile récemment accrochée mais partez à la recherche de la bonne humeur grâce à vos six émotions.

1. *Le souvenir*

Quelle toile vous rappelle le plus un événement marquant ? Est-ce une image d'enfance, avec un portrait de jeune homme ? Une nature morte, une scène de repas, une image de mer ou de campagne, un portrait de père ou de mère ou de grands-parents ? Essayez de retrouver votre enfance ou votre passé face à une image que vous aurez choisie. Quelle que soit la toile, vous mettrez en action votre mémoire et revivrez des émotions passées qui, sans le tableau, vous seraient restées étrangères.

2. *L'espoir*

Quelle toile associez-vous le plus à l'espoir ? Est-ce une image tranquille, un paysage invitant à la méditation, une image de fleurs, d'arbres, d'animaux, un arc-en-ciel... ? Une fois encore, le musée vous révèle. Il vous présente une image de l'espoir à laquelle votre conscience ne s'attendait pas forcément.

3. *La tristesse*

Cette émotion existe, évidemment. Elle est d'autant plus supportable que vous n'essayez pas de vous la cacher. Un tableau va vous aider pour mettre une image sur votre tristesse. Promenez-vous dans le musée et testez les peintres, les styles et les époques. Est-ce un paysage de nature, une image du matin ou du soir, un portrait d'homme ou de femme pensive, un groupe, un personnage solitaire ? Associez-vous la tristesse à l'harmonie qui se dégage d'un portrait de famille ou à une scène de dispute ? Votre tristesse est-elle abstraite, mieux décrite par une toile aux couleurs sombres ? Quand vous commencez à poser des images sur votre tristesse, vous n'êtes plus loin d'y mettre aussi des mots.

4. Rééquilibrage

Quelle toile choisiriez-vous pour rééquilibrer votre humeur et la faire passer de la tristesse à l'euphorie ? En compagnie de quel peintre trouveriez-vous le plus de consolation ? Est-ce une scène de jardin, de nature sauvage, une chaise vide, deux personnes qui s'écoutent et se tiennent par la main ? Le tableau que vous allez choisir sera important. Il vous prouve vos possibilités de résilience. Rien n'est jamais perdu. Vous venez de trouver une image qui, un jour, pourra vous consoler.

5. Compréhension de soi

De quel peintre ou de quelle toile vous sentez-vous le plus proche ? Avec qui êtes-vous le plus en phase ?

Quel est celui que vous comprenez le mieux ou dont vous pensez qu'il vous correspond le mieux ? Quand un sujet, un peintre ou une école de peinture vous montre une sensation sur laquelle vous n'auriez pas pu mettre de mot sans son aide, c'est ainsi que vous vous rapprochez du miracle de l'art. Cette « toile de compréhension de soi » est celle que vous avez envie d'emporter chez vous tant elle vous parle de manière intime.

6. *Le sens de la vie*

Nous n'utilisons pas toujours assez notre capacité à trouver du sens dans la vie. Une toile peut révéler cette aptitude. L'image qui a pour vous le plus de sens est importante. Est-ce un sportif ? Un musicien ? Un peintre dans son atelier ? Un philosophe ? Quel est le tableau qui vous convaincra que vous avez un potentiel dont vous ne vous servez pas complètement aujourd'hui ? Les autoportraits sont particulièrement inspirants. Vous regardez un artiste créer et vous vous rapprochez... de vos aspirations profondes.

À vous de trouver la manière dont vous allez mettre en pratique ce jeu avec la peinture. Vous pouvez choisir une visite solitaire, en couple ou entre amis ou même en groupe avec un secrétaire volontaire qui notera la liste des toiles les plus riches en émotions et en identifications. Dans tous les cas, vous ne repartirez pas bredouille et vous serez plus heureux que les visiteurs courant dans le musée à la recherche des trois œuvres signalées dans leur guide touristique.

La ratatouille du bonheur

L'un de mes amis me livre son secret de bonne humeur. Quand il est énervé ou contrarié, il prépare une ratatouille. Il a le plaisir de découper les uns après les autres les légumes dont il a besoin. Rien qu'en épluchant il se concentre sur l'instant présent et commence à se sentir mieux. Puis il s'arme de patience le temps que sa ratatouille mijote. L'étape ultime de la bonne humeur est celle de la dégustation, seul ou plutôt en famille. Les soucis se sont écartés. Seul lui reste le plaisir d'un plat rassurant et longuement mijoté.

Le plaisir des musiques tristes

À l'automne, vous avez envie d'écouter des musiques mélancoliques ? Vous ne supportez plus les rythmes qui vous ont fait danser l'été passé ? Suivez votre envie. Les musiques tristes peuvent faire autant de bien que les musiques les plus gaies et les plus entraînantes. Il y a un vrai plaisir et même un bonheur à écouter ces airs pleins d'émotion. Les morceaux sont plus lents, plus graves, et vous les écoutez à un volume plus bas que les musiques gaies. Avec les chansons, ce sont les paroles qui sont mélancoliques et agréables.

Vous aussi, vous avez certainement votre propre répertoire mélancolique, des musiques reliées à un souvenir ancien comme une rupture ou un deuil. Mais ça ne fait pas de mal au moral. Les petits moments de blues peuvent même passer plus vite en leur compagnie qu'avec une musique gaie. Quand le temps d'automne est particulièrement désespérant, vous accordez la musique à l'environnement.

De manière un peu paradoxale, vous vous chargez en émotions positives grâce à l'harmonie que vous installez entre vos états d'âme et ce que vous écoutez. Enfin, les chansons et musiques tristes restent un traitement des chagrins d'amour et des chagrins de rentrée qui ne sont pas des maladies, rappelons-le. Certains thérapeutes utilisent même ces musiques pour aider celles et ceux qui les consultent à exprimer leurs émotions négatives. Il est plus facile de raconter ses soucis et ses regrets dans une ambiance musicale triste que sur un air de rock.

L'automne est sans doute le bon moment pour ressortir ses chansons d'amour préférées et les vieux enregistrements de Schubert que vous aviez oubliés tout l'été.

Remercier la pluie

Vous voulez augmenter votre qualité de vie et votre espérance de vie ? Pratiquez la gratitude. Là encore ce n'est pas une tendance naturelle, surtout pendant l'automne quand il est tellement facile de râler, de se fâcher, de faire des reproches au monde entier comme à ses proches. Quand vous serez convaincu des effets médicaux objectifs de la gratitude, vous allez être tenté de lutter pour développer cet état d'esprit. La gratitude diminue l'adrénaline, l'hormone du stress. Elle augmente la sérotonine et agit directement sur l'espérance de vie. C'est le moment d'appliquer la phrase du président John Fitzgerald Kennedy : « Ne vous demandez pas ce que votre pays peut faire pour vous. Demandez-vous ce que vous pouvez faire pour votre pays. »

Ne vous demandez plus ce que la pluie vous empêche de vivre, demandez-vous ce que la pluie et l'automne vous permettent de vivre mieux que toute autre saison. Demandez-vous aussi ce que la pluie a d'utile pour vos amis, votre pays et la planète.

VOTRE JOURNÉE
DE BONNE HUMEUR
EN AUTOMNE

Matin

Se brosser les dents pour être de bonne humeur
Méditer vingt minutes avant de partir au travail
Un parfum d'orange et de menthe dans la voiture
   pour supporter les encombrements
Bouger quelques minutes même au bureau

Midi

Des sardines pour le magnésium
Une salade à l'huile de tournesol pour les omégas 3
Mâcher dix fois avant d'avaler pour avoir moins faim
Commander des algues plutôt que du riz au restau-
   rant japonais

Après-midi

Une visite au musée pour trouver ses six émotions
   de base

S'inscrire à une chorale et visualiser l'air dans ses poumons pour chanter et se détendre
Lire sans angoisse ses mails de rentrée
S'entraîner à reconnaître les odeurs
Une séance de danse en pleine conscience

Soirée
Oser une musique triste, de Schubert à Barbara
Chercher un sens à sa vie un jour de pluie
Préparer un nouveau plat pour remonter sa libido
Faire la vaisselle en pleine conscience pour se détendre
Un carré de chocolat pour le magnésium et une ratatouille pour le plaisir

S'ÉPANOUIR
À CHAQUE SAISON

Vous en savez maintenant assez pour garder votre corps et votre esprit en forme à chaque saison. Vous allez profiter de ce que la psychologie appelle l'épanouissement. Cet épanouissement que vous allez construire n'est pas un état idéal impossible à atteindre. C'est un bien-être adapté à votre vie, à vos contraintes et à vos valeurs. Ne cherchez pas le Bonheur Absolu, mais trouvez votre bonheur à vous, avec la plus grande quantité possible de petits bonheurs, d'énergie, de santé et d'émotions positives.

Avec chacune des expériences de ce livre, vous allez avancer dans les huit directions classiques de l'épanouissement personnel. Elles sont décrites dans les échelles les plus récentes d'épanouissement et de bien-être (*Flourishing scale*). Pourquoi ne pas en trouver deux par saison ?

Épanouissements d'hiver

Souvenez-vous de la manière dont les Amish et les habitants des pays du Nord résistent à l'hiver. Ils se retrouvent au coin du feu, consacrent du temps à des activités riches de sens et resserrent les liens familiaux et amicaux.

But et sens de la vie

Je trouve des activités qui ont un but et un sens, et chacune donne un sens général à ma vie.

Relations, famille, amour et amitié

Je reconnais, choisis et cultive des relations qui me soutiennent et m'enrichissent.

Épanouissements de printemps

Le printemps est la saison où vous relancez votre fabrique à envie, à surprises et à petites folies. Cherchez et trouvez ce qui vous intéresse vraiment, ce qui vous distrait et vous intrigue. Et rappelez-vous aussi, maintenant que vous enlevez pulls et manteaux, que vous avez un corps dont il va bien falloir recommencer à s'occuper.

Intérêt et motivation

Je cherche et mets en œuvre des activités de loisir ou de travail qui m'intéressent et dans lesquelles je m'implique.

Action sur ma santé et mon bien-être

Chaque jour, je contribue activement à mon bien-être, à ma santé et au bien-être de mes proches par l'activité physique, l'alimentation, la pratique artistique et la mobilisation de mes émotions et de mon cerveau.

Épanouissements d'été

Vous préparez vacances, valises et voyages ? Très bien. Gardez à l'esprit ce qu'avait si bien dit Montaigne. Aussi loin que l'on parte, on s'emmène toujours avec soi. Alors entraînez-vous à vous aimer un peu plus et à trouver des qualités à celles et ceux qui vont partir avec vous. On passe toujours de meilleures vacances avec quelqu'un qui ne se fait pas trop de reproches et n'accable pas celles et ceux qui partent avec lui.

Gratitude

Je vois les marques de respect, d'affection et d'intérêt que me témoignent les personnes de mon entourage et les inconnus.

Estime de soi

Je cherche des raisons de me rappeler au moins une fois par semaine que je suis quelqu'un de bien, et qui a une bonne vie ou tout au moins la meilleure vie possible dans les conditions qu'on m'impose.

Épanouissements d'automne

L'automne pourrait être le moment où l'on doute le plus de soi, de ses talents, de ses réussites. Vous guérirez de la maladie de l'automne et du stress de la rentrée en cherchant et trouvant vos petites et grandes qualités et en croyant aux forces de l'anticipation qui vous font voir le printemps même en plein automne.

Compétence

J'essaie sans perfectionnisme ni reproche d'être le plus appliqué possible dans les activités qui me font plaisir ou me sont utiles.

Anticipation

Je suis raisonnablement optimiste quant à mon avenir, je donne toutes les chances de tenir mes objectifs... et je me prépare au printemps prochain.

L'AGENDA PAR SAISON
DES GRANDS TRAVAUX
DE LA BONNE HUMEUR

Comme un jardin, entretenez votre moral avec les expériences que vous venez de découvrir. Quelques-unes sont particulièrement utiles aux plus jeunes, aux seniors, aux hommes et aux femmes. Découvrez et essayez :

Des repas et des goûts bons pour l'humeur
Une manière de bouger antidéprime
Des sons et des musiques
Des petites expériences de bonne humeur

Un adolescent de bonne humeur

Les repas et les goûts

• Du poisson trois fois par semaine pour ses oméga 3 utiles au cœur et au moral.

• Un repas sur deux au moins sans frites ni hamburger.

• Remplacer un soda par une eau naturelle ou aromatisée mais sans sucre.

• Une alimentation sans trop de contraintes ni de restrictions pour éviter l'effet yo-yo (je grossis et je maigris trop et du coup je grossis encore plus).

• Des fêtes sans boire plus de trois verres d'alcool en une occasion.

• Une demi-assiette de fruits et de légumes frais à chaque repas.

• Mâcher longtemps pour mieux profiter des aliments.

Le corps

• Une heure par semaine d'une activité choisie et pratiquée en groupe.

• Des mouvements réguliers sans épuisement ni longues périodes d'inaction.

• Du sport pour mieux se concentrer sur ses cours et réussir ses examens.

• Progresser dans son sport préféré grâce à l'optimisme, en enregistrant ses réussites et sans se comparer aux champions.

• Faire travailler ses zygomatiques, sourire au moins une fois par jour pour stimuler cerveau et neuromédiateurs.

Les sons, images et musiques

• Fabriquer sa playlist de musiques stimulantes avec *La Marche turque* de Mozart (oui, oui, essayez !), *Strawberry Swing* de Coldplay et les dernières nouveautés du mois.
• Des vidéos de comiques ou de films drôles même si on s'efforce de passer pour un intellectuel.
• Des soirées karaoké pour les bienfaits du mouvement, du chant à tue-tête et des amis.
• Vocaliser comme un ténor d'opéra en visualisant l'air qui traverse vos poumons et descend jusqu'au nombril.

Les petites expériences de bonne humeur

• Ne pas commencer à fumer pour la santé de ses poumons et pour le moral.
• Faire la liste de ses vrais amis et pas seulement des contacts sur les réseaux sociaux.
• Se coucher trente minutes plus tôt que l'on aurait envie pour protéger les rythmes de son cerveau.
• Choisir des condisciples motivés et engagés dans des grandes causes qui répandent des émotions positives.
• Une expérience nocturne inédite en débranchant ou éloignant téléphone et ordinateur.

• Ne pas négliger la brosse à dents comme arme antistress.

Un senior de bonne humeur

Les repas et les goûts

• Des maquereaux à l'huile, des sardines et des œufs pour la vitamine D.

• Un nouveau plat chaque semaine ou chaque mois pour avoir moins de fringales.

• Un carré de chocolat noir pour le plaisir, la sérotonine et le magnésium.

• Une salade à l'huile de pépins de raisins, de noix ou de tournesol pour muscler les neurones avec des omégas 3.

• Écarter les faux euphorisants comme l'alcool, les calmants et le tabac.

• Salades, maïs, et melon pour des folates anti-déprime.

Le corps

• Marcher au moins six minutes par jour même dans le froid ou sous la pluie.

• Traverser un musée en cherchant ses six émotions de base (bons souvenirs, espoir, compréhension de soi, sens de la vie, équilibre de l'humeur).

• Ne jamais se trouver trop vieux pour une activité connue ou nouvelle.

• Remplacer une demi-heure de sieste par une sortie même courte quel que soit le temps.

• Retrouver les pas de danse de sa jeunesse et oser le danser encore.

Les sons, images et musiques

• L'énergie de l'opéra de Mozart *Don Giovanni* et surtout son grand air « *Fin ch'han dal vino* ».

• *Take Five* de Dave Brubeck et *Georgia on my Mind* de Ray Charles.

• Le pouvoir médical du bleu de la mer et du vert de la campagne.

• Les musiques de son enfance ou de sa jeunesse pour cultiver la nostalgie qui est bonne pour la santé.

• Profiter de la retraite pour jouer soi-même ses morceaux préférés en commençant par *La Lettre à Élise* de Beethoven.

• Méditer sur le *Requiem* de Gabriel Fauré ou les chœurs de Johannes Brahms.

Les petites expériences de bonne humeur

• Se ménager des surprises chaque jour pour augmenter son désir et son énergie et diminuer ses fringales.

• S'acheter un carnet et y noter des histoires et phrases drôles.

• Lutter contre les trous de mémoire en tenant son journal de petits et grands bonheurs trop vite passés… et se rappeler que l'on a aussi besoin d'oubli pour aller bien.

• Se rafraîchir avec une glace sans se faire de reproches.

• Un vaccin antigrippal pris en charge par l'assurance maladie pour éviter la fatigue dépressive post-grippe.

• S'entraîner à reconnaître les odeurs les plus fines et à les trouver agréables

Une femme de bonne humeur

Les repas et les goûts

• Des assiettes rouges pour manger plus raisonnablement et envoyer par la couleur un message inconscient à son cerveau.

• Faire soi-même son pain pour un aliment plus digeste et un moment de méditation.

• Maquereaux et sardines pour la vitamine D.

• Des cornichons, des yaourts et de la choucroute pour stimuler son intestin et lui faire fabriquer de la sérotonine.

• Deux tasses quotidiennes de thé noir pour dilater les vaisseaux de ses doigts et diminuer l'adrénaline.

• Petits pois, mâche et brocolis pour protéger ses folates et sa sérotonine.

• Manger épicurien, par plaisir plutôt que viscéral par besoin.

Le corps

• Danser le rock ou le tango en pleine conscience de ses gestes et, si besoin, commencer à danser même sans musique.
• Bouger les mains, lever les sourcils, éclater de rire et travailler son extraversion.
• S'installer à une terrasse avec un café pour un effet stimulant et même aphrodisiaque.
• Marcher le matin au soleil pour resynchroniser son rythme veille-sommeil.
• Courir en se parlant pour se faire du bien et augmenter ses performances.

Les sons, images et musiques

• La *Canzonetta sull'aria* de Wolfgang Amadeus Mozart pour se charger en énergie.
• Les grandes voix américaines, Ella Fitzgerald, Dinah Washington et Kate Nash.
• Inventer sa propre chanson euphorisante avec cinq syllabes agréables à se répéter à voix basse ou haute.
• Prononcer plusieurs fois le son « i » en souriant plutôt que « ou » en fronçant les sourcils.
• Regarder une vidéo d'un acteur ou d'une actrice souriant ou d'un journaliste qui pique un fou rire.

• Tester au musée l'effet coquelicot en rêvant quinze minutes devant un tableau de Claude Monet.

Les petites expériences de bonne humeur

• S'inscrire à une chorale pour le plaisir du groupe et de la musique.

• S'engager pour une cause collective (humanitaire, politique, spirituelle) pour augmenter sa motivation, sa bonne humeur et tous ses désirs.

• Faire la liste de ses vrais amis pour stimuler son cerveau, son ocytocine et son moral.

• Appliquer la méthode PERMA : P pour positiver ses émotions, E pour engagement, R pour relations, M pour *meaning* ou sens de la vie et A pour *achievement* ou réussite.

• Entraîner sa gratitude en remerciant la nature même quand il pleut sur ses vacances.

• Remplacer cinq contacts sur des réseaux sociaux par cinq ami(e)s dans la vraie vie que l'on essaie de rencontrer dans les deux mois.

• Enlever son miroir grossissant de sa salle de bains pour éviter le blues du matin et le risque de lifting.

Un homme de bonne humeur

Les repas et les goûts

* Une poignée de noix de pécan pour les omégas 3.
* Viande, lentilles et pain complet riches en zinc.
* Une boîte de sardines par semaine pour le magnésium.
* Un plat nouveau pour relancer sa libido au nom de l'effet Coolidge de stimulation cérébrale par de l'inédit.
* Des algues et des champignons plutôt que du riz au restaurant japonais.
* Guérir le manque de vitamine D et augmenter sa sérotonine en arrêtant de fumer.

Le corps

* Fabriquer ses morphines personnelles en remplaçant l'ascenseur par l'escalier et quelques trajets en transport par de la marche à pied.
* Apprendre à accélérer les mouvements de son corps en même temps que l'on ralentit sa pensée.
* Faire glisser ses doigts sur une feuille de papier et dessiner un corps nu pour mieux supporter ses défauts physiques personnels.
* Une activité physique par jour ou par semaine mais sans chercher à dépasser ses limites.
* Le meilleur sourire, le sourire de Duchenne avec les yeux fermés et la bouche entrouverte.

Les sons, images et musiques

• Oser les musiques lentes et méditatives comme le *Concerto pour clarinette* de Mozart.

• Les cycles de lieder de Schubert et les chansons de Barbara dont la mélancolie réchauffe.

• Trouver son hymne antidéprime et l'écouter en boucle.

• La batterie d'Art Blakey et les Jazz Messengers pour retrouver du rythme et le sitar de Ravi Shankar pour baisser sa tension.

Les petites expériences de bonne humeur

• Voir ses amis rire sans se sentir gêné ou menacé et faire travailler ensemble ses hémisphères cérébraux.

• Le feedback facial, l'action des mimiques sur les émotions.

• Reconnaître et dépasser la facebookcrastination qui fait retarder ce que l'on doit vraiment faire pour répondre à ses messages sur un réseau social.

• Changer son image inconsciente en améliorant son image consciente ou explicite.

• Surveiller son taux de cholestérol comme indice de bonne humeur.

• Choisir des résolutions de 1er janvier modestes, tenables, et les réaliser le jour même.

QUELQUES LIVRES DE RÉFÉRENCE POUR LE BIEN-ÊTRE DU CORPS ET DE L'ESPRIT

Christophe André, *Méditer, jour après jour. 25 leçons pour vivre en pleine conscience*, L'Iconoclaste, 2011.

Alain Gérard, Brigitte Remy, *Si votre psychothérapie n'avance pas...*, Albin Michel, 2015.

Oliver Sacks, *Musicophilia. La Musique, le Cerveau et Nous*, Points Essais, 2014.

Oliver Sacks, *L'Odeur du si bémol*, Points Essais, 2016.

Frédéric Saldmann, *Prenez votre santé en main !*, Albin Michel, 2015.

Frédéric Sedel, Olivier Lyon-Caen, *Le Cerveau pour les nuls*, First, 2010.

Irvin Yalom, *Thérapie existentielle*, Le Livre de poche, 2016.

RÉFÉRENCES DES ÉTUDES NATIONALES ET INTERNATIONALES CITÉES DANS LE LIVRE

Hiver

Syaron Basnet, Ilona Merikanto, Tuuli Lahti et collaborateurs : « Seasonal Variations in Mood and Behavior Associate with Common Chronic Diseases and Symptoms in a Population-Based Study. » *Psychiatry Research* 238 (2016) 181-188.

Delia Bornand, Stephen Toovey, Susan S. Jick et collaborateurs : « The Risk of New Onset Depression in Association with Influenza – A Population-Based Observational Study. » *Brain, Behavior, and Immunity* 53 (2016) 131-137.

Karine Clément : « Le Microbiote intestinal : un nouvel acteur de la nutrition ? » *Cahiers de nutrition et de diététique* (2015) 50 6S22-6S29.

Laura Crucianelli, Valentina Cardi, Janet Treasure et collaborateurs : « The Perception of Affective Touch in Anorexia Nervosa. » *Psychiatry Research* 239 (2016) 72-78.

Giovanna Del Grande da Silva, Carolina David Wiener, Luana Porto Barbosa et collaborateurs : « Pro-Inflammatory Cytokines and Psychotherapy in Depression : Results from a Randomized Clinical Trial. » *Journal of Psychiatric Research* 75 (2016) 57-64.

Suzanne J.L. Einöther, Matthew Rowson, Johannes G. Ramaekers et collaborateurs : « Infusing Pleasure : Mood Effects of the Consumption of a Single Cup of Tea. » *Appetite* 103 (2016) 302-308.

Stephen H. Fairclough, Marjolein van der Zwaag, Elena Spiridon : « Effects of Mood Induction via Music on Cardiovascular Measures of Negative Emotion during Simulated Driving. » *Physiology & Behavior* 129 (2014) 173-180.

Chris Fook Sheng Ng, Andrew Stickley, Shoko Konishi et collaborateurs : « Ambient Air Pollution and Suicide in Tokyo, 2001-2011. » *Journal of Affective Disorders,* sous presse à paraître.

Jean-François Landrier. « Vitamine D : sources, métabolisme et mécanismes d'action. » *Cahiers de nutrition et de diététique* (2014) 49, 245-251.

Fu-Dong Li, Fan He, Xiao-Jun et collaborateurs : « Tea Consumption is Inversely Associated with Depressive Symptoms in the Elderly : A Cross-Sectional Study in Eastern China. » *Journal of affective disorders,* sous presse à paraître.

Robert K. McNamara : « Role of Omega-3 Fatty Acids in the Etiology, Treatment, and Prevention of Depression : Current Status and Future Directions. » *Journal of Nutrition & Intermediary Metabolism,* sous presse à paraître.

Susannah E. Murphy, M. Clare O'Donoghue, Erin H.S. Drazich : « Imagining a Brighter Future : The Effect of Positive

Imagery Training on Mood, Prospective Mental Imagery and Emotional Bias in Older Adults. » *Psychiatry Research* 230 (2015) 36-43.

Chantal Nederkoorn, Linda Vancleef, Alexandra Wilkenhöner et collaborateurs : « Self-inflicted Pain out of Boredom. » *Psychiatry Research* 237 (2016) 127-132.

Celia O'Hare, Vincent O'Sullivan, Stephen Flood et collaborateurs : « Seasonal and Meteorological Associations with Depressive Symptoms in Older Adults : A Geo-Epidemiological Study. » *Journal of Affective Disorders* 191 (2016) 172-179.

Olivia I. Okereke, Ankura Singh : « The Role of Vitamin D in the Prevention of Late-Life Depression. » *Journal of Affective Disorders* 198 (2016) 1-14.

Uttam K. Raheja, Sarah H. Stephens, Braxton D. Mitchel : « Seasonality of Mood and Behavior in the Old Order Amish. » *Journal of Affective Disorders* 147 (2013) 112-117.

Christian Rémésy, Fanny Leenhardt, Anthony Fardet : « Donner un nouvel avenir au pain dans le cadre d'une alimentation durable et préventive. » *Cahiers de nutrition et de diététique* (2015) 50, 39-46.

Wenwei Ren, Yingying Gu, Lin Zhu et collaborateurs : « The Effect of Cigarette Smoking on Vitamin D Level and Depression in Male Patients with Acute Ischemic Stroke. » *Comprehensive Psychiatry* 65 (2016) 9-14.

Bettina Stemer, Andreas Melmer, Dietmar Fuchs et collaborateurs : « Bright Versus Dim Ambient Light Affects Subjective Well-Being but not Serotonin-Related Biological Factors. » *Psychiatry Research* 229 (2015) 1011-1016.

Viren Swami : « Illustrating the Body : Cross-Sectional and Prospective Investigations of the Impact of Life Drawing

Sessions on Body Image. » *Psychiatry Research* 235 (2016) 128-132.

Binod Thapa Chhetry, Adrienne Hezghia, Jeffrey M. Miller et collaborateurs : « Omega-3 Polyunsaturated Fatty Acid Supplementation and White Matter Changes in Major Depression. » *Journal of Psychiatric Research* 75 (2016) 65-74.

Karen S. van den Berg, Radboud M. Marijnissen, Rob H.S. van den Brink et collaborateurs : « Vitamin D Deficiency, Depression Course and Mortality : Longitudinal Results from the Netherlands Study on Depression in Older Persons (NESDO). » *Journal of Psychosomatic Research* 83 (2016) 50-56.

Tatjana van Strien, Hanna Konttinen, Judith R. Homberg et collaborateurs : « Emotional Eating as a Mediator between Depression and Weight Gain. » *Appetite* 100 (2016) 216-224.

Davy Vancampfort, Roselien Buys, Pascal Sienaert et collaborateurs : « Validity of the 6 min Walk Test in Outpatients with Bipolar Disorder. » *Psychiatry Research* 230 (2015) 664-667.

Doy Yung Ma, Wei Hung Chang, Mei Hung Chi et collaborateurs : « The Correlation between Perceived Social Support, Cortisol and Brain Derived Neurotrophic Factor Levels in Healthy Women. » *Psychiatry Research* 239 (2016) 149-153.

Wenfeng Zhu, Qunlin Chen, Chaoying Tang et collaborateurs : « Brain Structure Links Everyday Creativity to Creative Achievement. » *Brain and Cognition* 103 (2016) 70-76.

Printemps

Krystine Irene Batcho, Simran Shikh : « Anticipatory Nostalgia : Missing the Present Before It's Gone. » *Personality and Individual Differences* 98 (2016) 75-84.

Kathryn Elizabeth Cairns, Marie Bee Hui Yap, Pamela Doreen Pilkington et collaborateurs : « Risk and Protective Factors for Depression that Adolescents Can Modify : A Systematic Review and Meta-Analysis of Longitudinal Studies. » *Journal of Affective Disorders* 169 (2014) 61-75.

V. Carfora, D. Caso, M. Conner : « The Role of Self-Identity in Predicting Fruit and Vegetable Intake. » *Appetite*, sous presse à paraître.

Eric Finzi, Norman E. Rosenthal : « Emotional Proprioception : Treatment of Depression with Afferent Facial Feedback. » *Journal of Psychiatric Research* 80 (2016) 93-96.

Fay A. Guarraci, Jessica L. Bolton : « "Sexy stimulants" : The Interaction between Psychomotor Stimulants and Sexual Behavior in the Female Brain. » *Pharmacology, Biochemistry and Behavior* 121 (2014) 53-61.

Alexandra Linnemann, Jana Strahler, Urs M. Nater : « The Stress-reducing Effect of Music Listening Varies Depending on the Social Context. » *Psychoneuroendocrinology* 72 (2016) 97-105.

Xiaoqin Liu, YingYan, Fang Li et collaborateurs : « Fruit and Vegetable Consumption and the Risk of Depression : A Meta-Analysis. » *Nutrition* 32 (2016) 296-302.

Ashley M. McCune, Jennifer D. Lundgren : « Bright Light Therapy for the Treatment of Night Eating Syndrome : A Pilot Study. » *Psychiatry Research* 229 (2015) 577-579.

Wido G.M. Oerlemans, Arnold B. Bakker : « Why Extraverts Are Happier : A Day Reconstruction Study. » *Journal of Research in Personality* 50 (2014) 11-22.

Ilona Papousek, Günter Schulter, Christian Rominger et collaborateurs : « The Fear of Other Persons' Laughter : Poor Neuronal Protection Against Social Signals of Anger and Aggression. » *Psychiatry Research* 235 (2016) 61-68.

Bryan Raudenbush, August Capiola : « Physiological Responses of Food Neophobics and Food Neophilics to Food and Non-Food Stimuli. » *Appetite* 58 (2012) 1106-1108.

Leonie Reutner, Oliver Genschow, Michaela Wänke : « The Adaptive Eater : Perceived Healthiness Moderates the Effect of the Color Red on Consumption. » *Food Quality and Preference* 44 (2015) 172-178.

Nuria Romero, Alvaro Sanchez, Carmelo Vázquez et collaborateurs : « Explicit Self-Esteem Mediates the Relationship between Implicit Self-Esteem and Memory Biases in Major Depression. » *Psychiatry Research* 242 (2016) 336-344.

Estela Salagre, Brisa S. Fernandes, Seetal Dodd et collaborateurs : « Statins for the Treatment of Depression : A Meta-Analysis of Randomized, Double-Blind, Placebo-Controlled Trials. » *Journal of Affective Disorders* 200 (2016) 235-242.

Eva Schötz, Simone Otten, Marc Wittmann et collaborateurs : « Time Perception, Mindfulness and Attentional Capacities in Transcendental Meditators and Matched Controls. » *Personality and Individual Differences* 93 (2016) 16-21.

Natalie K. Skead, Shane L. Rogers : « Running to Well-Being : A Comparative Study on the Impact of Exercise on the Physical and Mental Health of Law and Psychology

Students. » *International Journal of Law and Psychiatry*, sous presse à paraître.

Karen S. van den Berg, Radboud M. Marijnissen, Rob H.S. van den Brink : « Vitamin D Deficiency, Depression Course and Mortality : Longitudinal Results from the Netherlands Study on Depression in Older Persons (NESDO). » *Journal of Psychosomatic Research* 83 (2016) 50-56.

Tatjana van Strien, Hanna Konttinen, Judith R. Homberg et collaborateurs : « Emotional Eating as a Mediator between Depression and Weight Gain. » *Appetite* 100 (2016) 216-224.

Elisa Ventura-Aquino, Jorge Baños-Araujo, Alonso Fernández-Guasti : « An Unknown Male Increases Sexual Incentive Motivation and Partner Preference : Further Evidence for the Coolidge Effect in Female Rats. » *Physiology & Behavior* 158 (2016) 54-59.

Dan Wang, Jun-Xia Zhai, Dian-Wu Liu : « Serum Folate Levels in Schizophrenia : A Meta-Analysis. » *Psychiatry Research* 235 (2016) 83-89.

Été

Jacques Barozzi : *Le Goût de l'été*, Textes regroupés. Le Mercure de France. Paris. 2016.

Yann Cornil, Pierre Chandon : « Pleasure as an Ally of Healthy Eating ? Contrasting Visceral and Epicurean Eating Pleasure and their Association with Portion Size Preferences and Wellbeing. » *Appetite* 104 (2016) 52-59.

R. Eccles, L. Du-Plessis, Y. Dommels et collaborateurs : « Cold Pleasure. Why We Like Ice Drinks, Ice-Lollies and Ice Cream. » *Appetite* 71 (2013) 357-360.

Jessica Finlay, Thea Franke, Heather McKay et collaborateurs : « Therapeutic Landscapes and Well-Being in Later Life : Impacts of Blue and Green Spaces for Older Adults. » *Health & Place* 34 (2015) 97-106.

Enrique Octavio Flores Gutiérrez, Víctor Andrés Terán Camarena : « Music Therapy in Generalized Anxiety Disorder. » *The Arts in Psychotherapy* 44 (2015) 19-24.

Ilana S. Hairston, Roni Shpitalni : « Procrastination is Linked with Insomnia Symptoms : The Moderating Role of Morningness-Eveningness. » *Personality and Individual Differences* 101 (2016) 50-56.

W. Kim Halford, Christopher A. Pepping, Peter Hilpert et collaborateurs : « Immediate Effect of Couple Relationship Education on Low-Satisfaction Couples : A Randomized Clinical Trial Plus an Uncontrolled Trial Replication. » *Behavior Therapy* 46 (2015) 409-421.

Kevin Kantono, Nazimah Hamid, Daniel Shepherd et collaborateurs : « Listening to Music Can Influence Hedonic and Sensory Perceptions of Gelati. » *Appetite* 100 (2016) 244-255.

Tae-Hee Kim, Ji-young Choi, Hae-Hyeog Lee et collaborateurs : « Associations between Dietary Pattern and Depression in Korean Adolescent Girls. » *Journal of Pediatric and Adolescent Gynecology*, 28 (2015) 533-537.

Pao-Yen Lin, Yu-Chi Huang, Chi-Fa Hung : « Shortened Telomere Length in Patients with Depression : A Meta-analytic Study. » *Journal of Psychiatric Research* 76 (2016) 84-93.

Adrian Meier, Leonard Reinecke, Christine E. Meltzer : « "Facebocrastination" ? Predictors of Using Facebook for Procrastination and its Effects on Students' Well-Being. » *Computers in Human Behavior* 64 (2016) 65-76.

279

Jacob D. Meyer, Kelli F. Koltyn Aaron J. Stegner et collaborateurs : « Influence of Exercise Intensity for Improving Depressed Mood in Depression : A Dose-Response Study. » *Behavior Therapy* 47 (2016) 527-537.

Maarten Milders, Stephen Bell, Emily Boyd : « Reduced Detection of Positive Expressions in Major Depression. » *Psychiatry Research* 240 (2016) 284-287.

Shigehiro Oishi, Thomas Talhelm, Minha Lee : « Personality and Geography : Introverts Prefer Mountains. » *Journal of Research in Personality* 58 (2015) 55-68.

Kimberly Palmer, Suzete Chiviacowsky, Gabriele Wulf : « Enhanced Expectancies Facilitate Golf Putting. » *Psychology of Sport and Exercise* 22 (2016) 229-232.

Jiyoung Park, David Seungjae Lee, Holly Shablack et collaborateurs : « When Perceptions Defy Reality : The Relationships between Depression and Actual and Perceived Facebook Social Support. » *Journal of Affective Disorders* 200 (2016) 37-44.

René T. Proyer, Fabian Gander, Sara Wellenzohn et collaborateurs : « Nine Beautiful Things : A Self-administered Online Positive Psychology Intervention on the Beauty in Nature, Arts, and Behaviors Increases Happiness and Ameliorates Depressive Symptoms. » *Personality and Individual Differences* 94 (2016) 189-193.

Deirdre A. Robertson, Rose Anne Kenny : « "I'm too old for that" – The Association between Negative Perceptions of Aging and Disengagement in Later Life. » *Personality and Individual Differences*, sous presse à paraître.

Andrea J. Sell : « Applying the Intentional Forgetting Process to Forgiveness. » *Journal of Applied Research in Memory and Cognition* 5 (2016) 10-20.

Saulo Sirigatt, Ilaria Penzo, Enrichetta Giannetti et collaborateurs : « Relationships between Humorism Profiles and Psychological Well-Being. » *Personality and Individual Differences* 90 (2016) 219-224.

Hillary L. Smith, Berta J. Summers, Kirsten H. Dillon et collaborateurs : « Hostile Interpretation Bias in Depression. » *Journal of Affective Disorders* 203 (2016) 9-13.

Walter Swardfager, Nathan Herrmann, Roger S. McIntyre et collaborateurs : « Potential Roles of Zinc in the Pathophysiology and Treatment of Major Depressive Disorder. » *Neuroscience and Biobehavioral Reviews* 37 (2013) 911-929.

Judy L. Van Raalte, Andrew Vincent, Britton W. Brewer : « Self-Talk : Review and Sport-Specific Model. » *Psychology of Sport and Exercise* 22 (2016) 139-148.

Heather Cleland Woods, Holly Scott : « Sleepyteens : Social Media Use in Adolescence is Associated with Poor Sleep Quality, Anxiety, Depression and Low Self-esteem. » *Journal of Adolescence* 51 (2016) 41-49.

Bin Yu, Haiyan He, Qing Zhang et collaborateurs : « Soft Drink Consumption is Associated with Depressive Symptoms Among Adults in China. » *Journal of Affective Disorders* 172 (2015) 422-427.

Automne

Laith Al-Shawaf, David M.G. Lewis, Thomas R. Alley et collaborateurs : « Mating Strategy, Disgust, and Food Neophobia. » *Appetite* 85 (2015) 30-35.

Rose Bennington, Amy Backos, Jennifer Harrison et collaborateurs : « Art Therapy in Art Museums : Promoting Social Connectedness and Psychological Well-Being of Older Adults. » *The Arts in Psychotherapy* 49 (2016) 34-43.

Rui M. Costa, Tânia F. Oliveira, José Pestana : « Self-Transcendence is Related to Higher Female Sexual Desire. » *Personality and Individual Differences* 96 (2016) 191-197.

E. Diener, D. Wirtz, W. Tov et collaborateurs : « New Measures of Well-Being : Flourishing and Positive and Negative Feelings. » *Social Indicators Research*, 39 (2), (2009) 247-266.

Dennis Grevenstein, Corina Aguilar-Raab, Jochen Schweitzer et collaborateurs : « Through the Tunnel, to the Light : Why Sense of Coherence Covers and Exceeds Resilience, Optimism, and Self-Compassion. » *Personality and Individual Differences* 98 (2016) 208-217.

Jamie Marich, Terra Howell : « Dancing Mindfulness : a Phenomonological Investigation of the Emerging Practice. » *Explore*11 (2015) 346-356.

Takako Miki, Takeshi Kochi, Keisuke Kuwahara : « Dietary Patterns Derived by Reduced Rank Regression (RRR) and Depressive Symptoms in Japanese Employees : The Furukawa Nutrition and Health Study. » *Psychiatry Research* 229 (2015) 214-219.

Sophie Miquel-Kergoat, Veronique Azais-Braesco, Britt Burton-Freeman : « Effects of Chewing on Appetite, Food Intake and Gut Hormones : A Systematic Review and Meta-Analysis. » *Physiology & Behavior* 151 (2015) 88-96.

Lynda Moorcroft, Dianna T. Kenny, Jennifer Oates : « Vibrato Changes Following Imagery. » *Journal of Voice*, (2015) Vol. 29, No. 2, pp. 182-190.

Masria Mustafa, Norazni Rustam, Rosfaiizah Siran : « The Impact of Vehicle Fragrance on Driving Performance : What Do We Know ? » *Procedia – Social and Behavioral Sciences* 222 (2016) 807-815.

Marine Naudin, Boriana Atanasova : « Olfactory Markers of Depression and Alzheimer's Disease. » *Neuroscience and Biobehavioral Reviews* 45 (2014) 262-270.

Martin Prätzlich, Joe Kossowsky, Jens Gaab et collaborateurs : « Impact of Short-Term Meditation and Expectation on Executive Brain Functions. » *Behavioural Brain Research* 297 (2016) 268-276.

Sarah Schumacher, Robert Miller, Lydia Fehm et collaborateurs : « Therapists' and Patients' Stress Responses During Graduated Versus Flooding in Vivo Exposure in the Treatment of Specific Phobia : A Preliminary Observational Study. » *Psychiatry Research* 230 (2015) 668-675.

Anat Shoshani, Sarit Steinmetz, Yaniv Kanat-Maymon : « Effects of the Maytiv Positive Psychology School Program on Early Adolescents' Well-Being, Engagement, and Achievement. » *Journal of School Psychology* 57 (2016) 73-92.

Andrew Stickley, Chris Fook Sheng Ng, Yosuke Inoue et collaborateurs : « Birthdays are Associated with an Increased Risk of Suicide in Japan : Evidence from 27,007 Deaths in Tokyo in 2001-2010. » *Journal of Affective Disorders* 200 (2016) 259-265.

Binod Thapa Chhetry, Adrienne Hezghia, Jeffrey M. Miller et collaborateurs : « Omega-3 Polyunsaturated Fatty Acid Supplementation and White Matter Changes in Major Depression. » *Journal of Psychiatric Research* 75 (2016) 65-74.

283

Annemieke J.M. van den Tol : « The Appeal of Sad Music : A Brief Overview of Current Directions in Research on Motivations for Listening to Sad Music. » *The Arts in Psychotherapy* 49 (2016) 44-49.

Villieux, A., Sovet, L., Jung, S.-C. et collaborateurs : « Psychological Flourishing : Validation of the French Version of the Flourishing Scale and Exploration of its Relationships with Personality Traits. » *Personality and Individual Differences*, 88-1 (2016), 1-5.

Daniel Weinstein, Jacques Launay, Eiluned Pearce et collaborateurs : « Singing and Social Bonding : Changes in Connectivity and Pain Threshold as a Function of Group Size. » *Evolution and Human Behavior* 37 (2016) 152-158.

REMERCIEMENTS

Pour leur soutien, leur exemple présent et de toujours, leurs conseils, leurs encouragements, leur aide, leur amitié.

Laurent Laffont
Karina Hocine
Anne Pidoux

Le doyen Philippe Ruszniewski
Le doyen Gérard Friedlander
Les professeurs Jean Adès, Henri Lôo et Jean-Pierre Olié

Jean-Claude Saada

Le docteur Frédéric Saldmann

Pour Sylvie Dauverné, pour son excellence souriante et patiente dans la préparation du texte.

TABLE DES MATIÈRES

COMPOSITION PCA
ACHEVÉ D'IMPRIMER EN FRANCE
PAR CPI FIRMIN DIDOT
POUR LE COMPTE DES ÉDITIONS J.-C. LATTÈS
17, RUE JACOB – 75006 PARIS
EN OCTOBRE 2016

PAPIER À BASE DE
FIBRES CERTIFIÉES

JC Lattès s'engage pour
l'environnement en réduisant
l'empreinte carbone de ses livres.
Celle de cet exemplaire est de :
650 g éq. CO_2
Rendez-vous sur
www.jclattes-durable.fr

N° d'édition : 01 – N° d'impression : 138285
Dépôt légal : novembre 2016